10656702

Le blogue de
Namasté
>La décision

LES ÉDITIONS LA SEMAINE
2050, rue de Bleury, bureau 500
Montréal (Québec) H3A 2J5

Directrice des éditions : Annie Tonneau
Directrice artistique : Lyne Préfontaine
Coordonnatrice aux éditions : Françoise Bouchard

Directeur des opérations : Réal Paiement
Superviseure de la production : Lisette Brodeur
Assistante-contremaître : Joanie Pellerin
Infographistes : Marylène Gingras, Marie-Josée Lessard
Scanneristes : Patrick Forgues et Éric Lépine

Réviseures-correctrices : Rachel Fontaine, Marie Théorêt,
Michèle Marchand, Violaine Ducharme
Photo de Maxime Roussy : Paul Cimon
Photos de la couverture : iStockphoto
Photos intérieures : Shutterstock

Les propos contenus dans ce livre ne reflètent pas forcément l'opinion de la maison d'édition.

Gouvernement du Québec (Québec) – Programme de crédit d'impôt pour l'édition de livres – Gestion SODEC.

L'Éditeur bénéficie du soutien de la Société de développement des entreprises culturelles du Québec pour son programme d'édition.

Gouvernement du Québec – Programme de crédit d'impôt pour l'édition de livres – Gestion SODEC

L'Éditeur bénéficie du soutien de la Société de développement des entreprises culturelles du Québec pour son programme d'édition.

Nous reconnaissons l'aide financière du gouvernement du Canada par l'entremise du Programme d'aide au développement de l'industrie de l'édition (PADIE) pour nos activités d'édition.

Toute reproduction, par quelque procédé que ce soit, est interdite sans l'autorisation du titulaire des droits.

© Charron Éditeur inc.
Dépôt légal : Quatrième trimestre 2009
Bibliothèque et Archives nationales du Québec
Bibliothèque et Archives Canada
ISBN : 978-2-923771-15-1

Maxime Roussy

Bientôt
mon tour ?
Namxox

Publié le 22 septembre à 18 h 45 par Nam
Humeur : Crispée

> Comme une corde de guitare sur le point de casser

Je ne peux pas croire qu'il va falloir attendre encore plus de deux jours avant de connaître le résultat du vote. Quand le directeur est entré dans la bibliothèque, Kim, Nath et moi, on a retenu notre souffle. En fait, on avait gardé le même air dans nos poumons toute la journée, parce que trop stressées. On avait le visage bleu. C'était trop de tension.

Monsieur M. nous a dit de partir. On aura une réponse lundi.

- Pourquoi ? a demandé Kim.

- Le vote est très serré. Il faut recompter.

Nath est intervenue :

- Serré comment ?

- Il y a trois votes de différence.

Jimmy, écrasé sur une chaise, n'avait pas du tout l'air nerveux. Il a sifflé. Puis il a dit :

- Suspense, suspense.

- Effectivement, a répondu Monsieur M. Je vous souhaite donc une belle fin de semaine.

Et il nous a laissés en plan. Il n'avait pas le droit de faire ça ! C'est contre la Charte des droits et libertés des Réglisses rouges !

Deux jours à attendre. Je n'y arriverai pas. Je vais mourir avant. À quatorze ans, quelle tragédie ! Et sur ma pierre tombale, sous mon nom et mon année de naissance et de décès, il sera inscrit : « En raison d'un vote trop serré, son cœur a lâché. »

Quand Monsieur M. est sorti de la biblio, Jimmy s'est levé. Il est venu tendre la main à Kim :

- C'est toi qui as gagné.

Il portait de nouveaux verres de contact. Le coquet, il en a pour toutes les occasions. C'est beau d'être riche ! Cette fois, il avait les yeux vert fluo. Est-ce que ça se peut ? Dans la nature, je veux dire. Peut-être, si on a bu un de ces jus radioactifs venant des machines distributrices de la cafétéria.

- Pourquoi tu dis ça ? lui a demandé Kim.

- Parce que je le sens, il a fait.

Il a remis ses écouteurs de son lecteur MP3 sur ses oreilles et il est parti.

Nath a levé les mains vers le plafond.

- Ça voulait dire quoi, ça ?

- Qu'est-ce qu'il a senti ? a poursuivi Kim. Son nez est pas mal plus développé que le nôtre, j'imagine. Moi, je ne sens rien.

J'étais aussi intriguée que les filles.

- S'il peut se payer des yeux d'extraterrestre, j'imagine qu'il peut se payer des narines de chien.

Kim et Nath se sont mises à rire.

En revenant à la maison, dans l'autobus, le costume de mascotte dans un sac à ordures à mes côtés, j'ai demandé à Kim :

- Est-ce que Monsieur M. sait à quel point c'est inhumain de nous faire subir un truc pareil ?

Kim n'a pas répondu. Elle était plongée dans ses pensées.

- Kim ?

- Quoi ?

- À quoi tu penses ?

- Oh, euh, à tout ça. La campagne électorale. Avoir su à l'avance tout le trouble que ça allait produire, je ne me serais pas embarquée.

Je savais qu'elle avait peur de perdre. Moi aussi, d'ailleurs. On a beau dire que ce n'est qu'une campagne électorale d'école secondaire, c'est sérieux. On y a mis tout notre cœur. Si on perd... NON ! On ne va pas perdre ! Faut que je sois positive. Je recommence.

Donc. Supposons que par le plus grand des malheurs, Kim ne devienne pas présidente. SUPPOSONS. Personnellement, ça va me faire mal. Et je n'ose pas imaginer la réaction de Kim. Ouch !

Ce report des résultats m'a permis de moins penser à Michaël. Ça a du bon.

Parlant de lui, la première fois qu'il a apporté sa guitare, j'ai fait ma comique. Après avoir gratté n'importe quoi sur l'instrument (tellement n'importe quoi que Mom croyait que j'étais en train de martyriser un chat), je me suis mise à ajuster la tension des cordes, comme si la guitare était mal accordée. J'en ai pété deux. Je me suis trouvée pas mal moins drôle.

C'est comme ça que je me sens : comme une corde de guitare tendue à l'extrême.

Je le répète : je ne survivrai pas à la fin de semaine. En plus, j'ai une tonne de devoirs. Est-ce que j'agis comme une élève modèle et je les commence ce soir ?

Ark. Non.

Par où
sont-ils entrés ?!
Namxox

Publié le 23 septembre à 12 h 03 par Nam
Humeur : Souffrante

> Un classique de Walt Disney dans le ventre

J'ai mal ! Sérieusement, c'est la première fois que mes règles sont aussi intenses. C'est ce qui m'a réveillée ce matin. Je me suis rendue à la salle de bains, pliée en deux. J'avais l'impression que les sept nains étaient dans mon utérus, en train de chercher de l'or avec leur pioche. Blanche-Neige, viens les chercher !

Mom m'a donné de l'ibuprofène en me disant qu'elle a déjà eu elle aussi des règles douloureuses. Au point où elle perdait connaissance !

Elle a ajouté :

-Tu as vécu des moments stressants, ces derniers temps. Ça n'aide pas.

Elle va prendre rendez-vous avec notre médecin de famille pour trouver une solution. Ce sera peut-être nécessaire que je prenne la pilule. En tout cas, c'est ce que Mom a fait pour ne plus avoir mal. Paraît que ça va m'aider. Je vais être menstruée moins longtemps, ce sera moins douloureux et plus régulier. Ça pourrait même faire en sorte que j'aie moins de boutons d'acné. Je n'en ai pas beaucoup, mais avant mes règles, en une nuit, il me pousse un champ de fraises dans le visage. J'ai beau mettre ensuite cinq centimètres de fond de teint, ça paraît encore. J'ai l'air d'un gros fraisier de couleur beige.

C'est magique, la pilule contraceptive ! Mom m'a dit aussi que j'allais voir au travers des vêtements. Bon, OK, elle ne m'a peut-être pas dit ça... 🙄

Les médicaments ont fait effet, finalement. Mais ça m'a rendue un peu « molle ». Genre, j'avais l'impression de marcher sur un tapis de guimauves. Et quand j'ai regardé mon frère avaler son déjeuner, je ne sais pas trop pourquoi, mais j'ai commencé à rire comme une bossue. (J'ai quelques bossus dans mon entourage, c'est vrai que ce sont de bons rieurs.)

J'ai également passé un temps fou à me regarder dans le miroir en essayant de toucher le bout de mon nez avec ma langue. Je me suis dit que vu que la langue est un muscle, en l'exerçant, je pourrais l'allonger. Mais j'ai comme peur qu'elle devienne trop longue et que je fasse un noeud dedans, par inadvertance. Alors j'ai arrêté.

Pour faire mes devoirs un samedi, faut vraiment que je ne sois pas dans mon état normal. Habituellement, c'est toujours à la dernière minute, genre le dimanche soir à 21 h.

En français, le prof nous a demandé d'écrire un poème. Il nous a dit qu'il fallait qu'on l'étonne. J'ai commencé à écrire un truc sur Youki-mon-chien-d'amoooour :

Youki, Youki, Youki,

Dormir et manger, c'est ça ta vie,

Youki, Youki, Youki,

Tu te crois tout permis,

Youki, Youki, Youki,

Tu renifles le derrière de tes amis,

Youki, Youki, Youki,

Tu lèches ce qui est pourri,

Youki, Youki, Youki,

Tu manges même ton vomi,

Youki, Youki, Youki,

Je ne sais même pas si tu as un nombril.

Comment on fait pour savoir si ce qu'on écrit est bon ? Je me pose souvent cette question.

Hum... Je crois que je vais recommencer. Ce n'est pas assez surprenant. Je veux que mon prof soit tellement étonné qu'il en perde ses sourcils. Ouais, c'est ça que je veux !

(...)

Je viens de *tchatter* avec Kim sur Messager. Elle a entendu plein de rumeurs au sujet du vote. Mais elles se contredisent toutes. Une fille de secondaire 4 prétend que c'est Kim qui va gagner, mais son frère aurait entendu Monsieur M. dire que c'est Jimmy. Un autre contact de Kim a vu Jimmy célébrer, tandis qu'une fille de notre classe aurait vu la secrétaire du directeur écrire un communiqué annonçant que Kim est la gagnante. *Schnoute* ! Qui croire ?

Je ne veux surtout pas paraître trop optimiste, mais Kim ne peut pas perdre. Elle a mené une campagne propre et son discours, génial, a été chaleureusement applaudi. C'est le choix le plus logique et le plus intelligent. Qui veut de Jimmy comme président du comité étudiant ? Ce serait une blague. Une mauvaise blague, en fait.

(...)

Que le grand cric me croque ! Michaël vient d'appeler. Il s'en vient, il veut me parler !

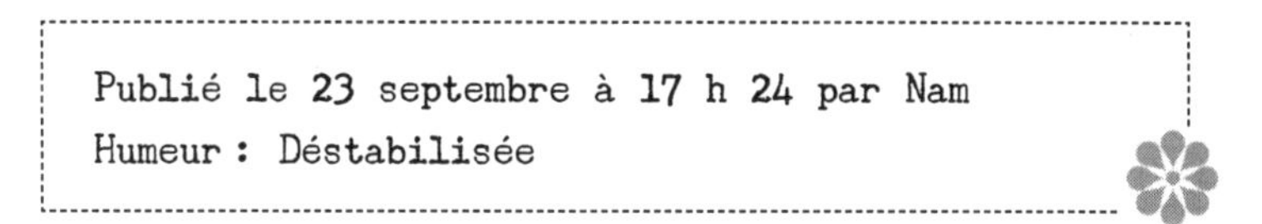

> Moi ou elle ? Là est la question !

J'ai passé quelques heures avec Michaël. Il pleuvait des cordes, on est allés « boire un café » dans un resto. Mais on n'a pas bu de café. Lui, un lait au chocolat (horreur !), moi un jus fait avec de vrais fruits. Avec de la grenadine. Miam !

Dans l'auto, il n'a rien dit. Il était trop occupé à essayer de faire fonctionner les essuie-glaces qui semblaient s'activer seulement quand ça leur tentait.

J'ai appris enfin pourquoi il me fuyait. La raison, je n'aurais jamais pu la deviner. Il a hésité, disant qu'il en avait honte.

- T'as honte de quoi ? j'ai demandé.

- Eh bien, je ne sais pas trop. Je me sens coupable. Envers toi et elle.

- Elle ?

Il a une blonde ! (Elle est peut-être brune ou rousse, je ne sais pas trop.)

Et être proche de moi, ça le mélange. Parce qu'il m'aime. Il ne me l'a pas dit comme ça, avec ces mots-là, mais c'est ce que ça voulait dire.

- Quand je suis avec toi, je suis super bien. Quand je suis loin de toi, je m'ennuie. T'es toujours dans ma tête. Et quand j'ai embrassé Mylène, l'autre jour, ce n'est pas à elle que je pensais.

C'est une déclaration d'amour, non ? Ça ressemble pas mal à ça, en tout cas.

Mais... Parce qu'il y a un « mais », évidemment. (Il y a toujours des « mais » dans mes histoires d'amour.) Mais il pense qu'il aime l'autre fille aussi. Il « pense » parce qu'il ne sait plus. Je le trouble.

Elle s'appelle Mylène. C'est une élève de son cours de musique. Il sort avec elle depuis plus de quatre mois. Elle fréquente une autre école secondaire. Elle est aussi en secondaire 4, comme lui. Et elle a commencé à se douter de quelque chose parce que Michaël lui parle souvent de moi.

Je suis quand même soulagée d'apprendre que je n'ai pas fait de faux pas. J'avais peur d'avoir dit ou fait quelque chose qui l'aurait repoussé.

Il se passe quoi, maintenant ?

Il ne le sait pas. Je ne le sais pas non plus. Faudrait peut-être organiser une bataille dans le Jell-O entre Mylène et moi ? La gagnante sort avec Michaël. Et la perdante doit faire le ménage après.

Je ris, même si la situation n'est pas drôle. Je veux qu'il me choisisse !

Kim n'est pas en ligne, j'aurais aimé lui en parler.

Je suis supposée agir comment, maintenant ? Je suis tellement géniale. Je ne comprends pas comment il se fait qu'il hésite entre elle et moi.

Est-ce que je vais devoir encore me taper une autre campagne électorale ? Sauf que cette fois-là, ce sera pour inciter un seul électeur, Michaël, à voter pour moi. Je vais faire des pancartes avec des slogans. Genre :

- AVEC NAM, ÇA GOÛTE LA PACANE. (HEIN ?!)
- NAMASTÉ, C'EST LE BONHEUR RETROUVÉ.
- ARRÊTE DE NIAISER, LA MEILLEURE C'EST NAMASTÉ.
- DE LA CHICANE, IL Y EN AURA PAS AVEC NAM
- À DÉGUSTER : NAMASTÉ !
- HEY, MICHAËL ! C'EST NAMASTÉ LA PLUS BELLE !
- IL TE FAUT NAMASTÉ, VOILÀ, C'EST RÉGLÉ.

Bon, j'arrête. C'est complètement ridicule. Je n'ai pas à me vendre. Je suis ce que je suis, point.

J'ai maaal au ventre ! Mooooom !

Publié le 23 septembre à 19 h 24 par Nam
Humeur : *Groggy*

> Ma mascotte va-t-elle encore une fois me tirer d'embarras ?

Kim m'a invitée chez elle ce soir, mais parce que je ne me sens pas super bien, j'ai refusé. Je n'ai plus vraiment mal au ventre, mais l'antidouleur que j'ai pris me rend gaga. Je préfère rester à la maison à ne rien faire. Ou, encore plus insignifiant, consacrer du temps à mes devoirs.

J'ai parlé du « cas Michaël » à Kim. C'est le nom qu'on a donné à cette affaire. Parce que ça en est rendu une. Je ne peux juste pas tomber amoureuse d'un gars et sortir avec. Faut toujours que ça soit compliqué. Peut-être qu'un sorcier m'a lancé un sort ? Il n'y a pas une potion magique faite à base de cerveaux de tortue et d'ongles d'orteils de moustiques que je pourrais avaler ? On trouve de tout sur le Net, j'imagine qu'il doit y avoir une recette quelque part.

Tsé, depuis le début des temps, les gens s'aiment, se marient et sont heureux. Est-ce que je suis la seule pour qui les choses sont si compliquées ? Je ne pourrais pas tomber amoureuse d'un gars qui ne sortirait pas avec une autre fille ou qui ne mourrait pas dans un accident de la route ? *Schnoute* de *schnoute* de re-*schnoute*.

Kim croit que Michaël va laisser tomber sa blonde pour moi.

- Parce que t'es trop extra, elle a dit.

Ce n'est pas une raison, ça. Et elle n'est pas objective, Kim. C'est ma meilleure amie. Je l'aurais mal vue me dire :

- Oublie ça, t'es moche, t'as aucune chance, en plus t'as des broches et des lunettes et tu pues de la bouche en te levant le matin.

Je suis déchirée. Je voudrais faire quelque chose pour persuader Michaël que je suis celle qui le rendra heureux. Je dois faire quelque chose maintenant. Après, il sera trop tard.

Sauf que je ne suis pas un morceau de viande ! S'il faut que je me batte pour sortir avec lui, c'est qu'il n'en vaut peut-être pas la peine.

En même temps, le fait qu'il portait le même t-shirt que Zac est peut-être un signe...

Je vais revêtir mon costume de mascotte et le poursuivre pour lui donner des câlins. Ça va peut-être lui faire comprendre que je suis une fille *vraiment* unique. Ou que je suis *vraiment* folle.

Je me demande à quoi ressemble Mylène...

(...)

Whôa ! Il y a quelques minutes, pendant que j'écrivais ce billet, j'ai vu un truc foncé tomber du toit. Un moment, j'ai cru que les antidouleurs que Mom m'a donnés sont trop puissants pour moi.

C'était comme un sac à ordures qui tombait du ciel. En fait, j'ai eu presque raison, c'était mon frère. (Je suis tellement méchante !)

J'ai ouvert ma fenêtre et j'ai vu que Fred était couché sur le dos, en train de gémir.

- Ça va ?

Il s'est raidi quand il a entendu ma voix.

- Ouais, ouais, il a fait en se relevant. Ça va.

- Qu'est-ce qui s'est passé ? T'étais sur le toit ?

- Peut-être, il a fait en frottant son jeans.

- Peut-être ! Il n'y pas de peut-être. T'étais sur le toit oui ou non ?

- Oui, il était sur le toit.

Tintin venait d'entrer dans la cour. Avec, sur la tête, un casque de vélo. Qu'il a trouvé dans le cabanon. Qui m'appartenait quand j'avais dix ans. Donc il est rose et il y a des princesses dessus. Et il est vraiment trop petit.

Dans sa main, il tenait une caméra vidéo.

- Oh, oh... j'ai fait.

Fred a levé la tête et m'a demandé :

- Quoi ?

- Ça sent mauvais.

- Désolé, a dit Tintin, mon intestin grêle a de la difficulté avec le souper.

- Non, ce n'est pas toi. C'est lui.

J'ai montré du doigt mon frère. Il s'est défendu :

- Je n'ai rien fait !

- Bien sûr ! C'est par magie que t'étais sur le toit et que t'en es tombé.

Fred, toujours à la recherche de la gloire instantanée en travaillant le moins possible, m'a expliqué qu'il voulait devenir une vedette de *parkour*. Jamais entendu parler. Tintin m'a expliqué que c'est un sport qui consiste à grimper sur des objets qui ne sont pas faits pour ça, par exemple, le toit d'une maison, puis à en sauter.

- C'est des cascades, il a continué. Les joueurs mettent les vidéos sur le Net et on peut devenir rapidement une vedette.

Dans le fond, je crois que c'était moins dangereux pour la santé de Fred quand il était accro aux jeux vidéo. Sa travailleuse sociale lui a suggéré de « canaliser ses énergies » (les mots sont de Mom). Et de trouver un hobby qui « l'allume » (c'est une expression, ce n'est pas comme mettre de l'essence dans sa bouche pour jouer au dragon, comme Grand-Papi le pensait).

J'ai demandé à Tintin :

- Le casque, c'est parce que tu vas aussi faire du *parkour* ?

- Non, c'est juste au cas où Fred me tomberait sur la tête. Je me protège.

Est-ce que ce qui vient de se passer est vrai ? Est-ce que les médicaments que Mom me fait prendre me donnent des hallucinations ?

****

Tu aimes les cascades ? Tu aimes voir des courses automobiles qui finissent en explosion nucléaire ? Tu aimes regarder des gars qui se donnent des coups de pied entre les deux jambes et qui trouvent ça drôle ? Tu dois absolument visiter le site :

www.stupidesetfiersdeletre.com

****

Hommage à une héroïne silencieuse
Namxox

Publié le 23 septembre à 23 h 14 par Nam
Humeur : Satisfaite

> Je suis la reine de la rime !

Je viens de terminer mon poème. J'ai bien fait de laisser tomber celui que j'avais dédié à Youki. Celui-là est meilleur. J'ai été vraiment inspirée.

J'ai cherché pendant quelques heures le moyen de renverser monsieur Patrick, le prof de français. Il veut quelque chose qu'il n'a jamais lu.

Est-ce que j'ai déjà parlé de cet homme ? Il est formidable. Je passerais ma vie à l'écouter. Il dit toujours des choses qui ont du sens. Ce qui, chez les gars, est assez rare, non ? Même Michaël a toujours une niaiserie à dire.

Il est super charmant, monsieur Patrick. Et il sent tellement bon. Je ne sais pas de quel parfum il se sert, mais il l'a bien choisi. Mes narines applaudissent quand je suis proche de lui.

On a déjà passé de longues minutes à discuter d'un livre qu'on a lu, en tête à tête, à la bibliothèque.

Donc, je veux l'impressionner. Et pour cela, voici le poème que je compte lui remettre. Ça va changer sa vie.

Copier-coller :

Margarine

Tu passes ta vie dans le noir,

Sans sombrer dans le désespoir.

On dit de toi que tu es faite de plastique,

Et que tu défies les lois de la physique,

Que tu brilles dans l'obscurité,

En raison des ingrédients dont tu es constituée.

Rien ne semble te déranger,

Même si tous les jours tu es poignardée.

Tu es soit jaune, soit blanche,

Tu travailles même le dimanche,

Sans jamais te plaindre de ta destinée,

Que tu acceptes d'emblée.

Quand on a besoin de toi,

Tu es toujours là,

Dans ton pot aux dimensions impressionnantes,

Qui peut servir de contenant pour la sauce à spaghetti de ma tante.

Tu es toujours molle,

Même si dans le congélateur tu as fait une virée folle,

Tu n'es pas comme ton rival le beurre,

Qui est snob et qui au travail manque d'ardeur.

Il est trop salé et trop gras,

Alors que toi, parfois, tu contiens des oméga-3.

Mais parce que tu as une belle personnalité,

Avec lui tu n'entretiens aucune animosité,

Et il ne faudrait qu'un geste de sa part,

Pour que, main dans la main, avec la fougue d'un guépard,

Dans le réfrigérateur vous ne dansiez en rond,

Autour du pot de cornichons.

Très chère margarine,

Je voulais avec ce poème magnanime

Rendre hommage à ta ténacité,

Dont devrait s'inspirer l'humanité.

Si la puissance de ce poème ne pulvérise pas les verres des lunettes de monsieur Patrick, j'abandonne.

Je suis morte. Je vais dormir.

C'est trop
looong
Namxox

Publié le 25 septembre à 16 h 43 par Nam
Humeur : Impatiente

> Moins de dix-huit heures à attendre

C'est demain qu'on aura les résultats du vote. Si on se fie aux gens de notre entourage, on va gagner. « On » dans le sens que Kim va devenir présidente. Je suis confiante que ça va arriver. Mais si c'est serré au point de recompter les votes, ce n'est pas si évident.

Je capote ! Je veux savoir, là, maintenant. Je ne veux plus attendre.

Nath et Kim sont venues à la maison cet après-midi et on a parlé de ce qui se passerait si Jimmy était président. En étant super optimistes, ce serait la catastrophe. En l'étant un peu moins, la fin du monde.

Si, demain, Jimmy est officiellement élu, voici ce qui va se passer dans les mois qui vont suivre, selon ses comportements et connaissant certains détails de sa vie :

* Les livres de la bibliothèque seront tous brûlés. Une de nos connaissances l'a entendu se vanter qu'il n'en avait jamais lu un seul de sa vie. Il va remplir les lieux de sable, va installer un filet et va obliger toutes les filles de l'école à jouer au volleyball en bikini. On le sait parce que dans son casier, il y a des photos de foufounes des joueuses de ce sport. Ouais, il a beaucoup de classe.

* Tous les élèves devront porter des verres de contact aux couleurs impossibles. Ceux qui refuseront auront les

yeux crevés avec des aiguilles à tricoter chauffées à blanc, comme dans le mauvais film d'horreur que j'ai vu la semaine dernière.

✱ Tout le monde aura le droit de tricher aux examens. En fait, on n'aura pas le droit, on sera obligés. Les examens de ceux qui auront été surpris à étudier seront brûlés et les élèves auront zéro. À la deuxième infraction, ils seront renvoyés.

✱ On devra tous porter des vêtements qui coûtent super cher achetés dans des boutiques au nom supposément *cool*. Plusieurs couches de vêtements, minimum trois épaisseurs. Et jamais les mêmes, sinon on se les fera arracher et ils seront brûlés. Faudra aussi porter une montre griffée, même si on ne la regarde jamais.

✱ On devra avoir la peau hâlée comme si on avait passé la nuit dans un feu de camp. Plus on passera d'heures dans une cabine de bronzage, plus nos notes seront élevées. Si on parvient à attraper un cancer de la peau, on aura une note parfaite : 100 %. On pourra utiliser de l'autobronzant, mais ce sera moins payant.

✱ Le cellulaire sera un accessoire obligatoire. Pas un truc simple qui peut seulement envoyer des textos, plutôt un téléphone intelligent branché sur le Net, qui peut servir de lecteur MP3, de calculatrice, de GPS et de canne à pêche. Il faudra l'avoir collé à une oreille continuellement et faire semblant d'avoir une discussion intéressante avec quelqu'un de *cool*. Celui ou celle qui sera pris avec un faux téléphone, ceux qu'on trouve dans les magasins à un dollar et qui font bip ! bip ! bip !

n'importe quand sera obligé de le rendre et, ouais, il sera brûlé.

* Finis les transports en commun, tout le monde devra posséder sa propre automobile sport pour se rendre à l'école. Les plus jeunes obligeront leurs parents à les reconduire à l'école dans une voiture sport. Si celle-ci est trop vieille ou d'un modèle trop ancien, l'armée de Jimmy se chargera de l'asperger d'essence pour qu'elle soit brûlée.

* Le gel dans les cheveux sera indispensable si on veut pénétrer dans une classe. Pas une petite quantité, il faudra que les élèves aient tous l'air de sortir de la douche. Sans avertissement, une mèche de leur chevelure sera coupée et analysée dans un laboratoire ultra sophistiqué où des machines auront mesuré le taux de gel. S'il n'est pas assez élevé, eh bien, les fautifs auront droit à une coupe de cheveux au chalumeau.

* Et finalement, tous ceux qui ne seront pas comme Jimmy, les trop grands, trop petits, trop gros, trop intelligents, trop pauvres, trop *rejets* ou juste trop différents, recevront un avis. S'ils ne changent pas, ce sera le bûcher, comme au Moyen Âge.

Bref, on en est venus à la conclusion que Jimmy était possiblement un pyromane.

C'est sûr que c'est *nawak*. Parce que le président du comité étudiant n'a pas réellement de pouvoirs. Mais ce serait un cauchemar si tout le monde était comme Jimmy.

On a aussi discuté du « cas Michaël ». Nath a parlé de quelque chose d'intéressant. Une tactique que sa sœur de dix-sept ans utilise pour attirer les gars. Je ne sais pas trop s'il faut que je la croie. Il s'agirait d'ignorer Michaël. De faire comme si je ne voulais rien savoir de lui. S'il m'appelle, s'il m'envoie un courriel, je ne réponds pas. S'il me croise à l'école, je suis heureuse de le voir, je souris, mais je lui dis que je suis très pressée et que je n'ai pas le temps de lui parler.

- Il va commencer à se demander ce qui se passe, a dit Nath. Quand il va se rendre compte qu'il n'a plus de pouvoir d'attraction sur toi, il va capoter.

- C'est quoi, cette théorie ? j'ai demandé. Comme de la magie noire ?

- Mais non. C'est une méthode.

Elle a fait claquer ses doigts.

- Ma sœur peut avoir n'importe quel gars comme ça. Ça fonctionne presque tout le temps.

- Elle a un *chum*, ta sœur ? je lui ai demandé.

- Une tonne.

Kim :

- Une tonne ? Genre un obèse ou plein de gars ?

On a ri.

- Plein de gars. Et il n'y en a pas un qui se doute de quelque chose. Elle dit que c'est la pêche sportive qu'elle préfère.

- Heureuse pour elle, j'ai dit, mais c'est quoi le rapport ?

- Eh bien, dans la pêche sportive, le *trip*, c'est de pêcher. Une fois que t'as attrapé le poisson, tu ne le manges pas, tu le relâches.

- OK, donc ta sœur, son plaisir, c'est d'attirer les gars, pas de sortir avec.

- Exact.

- Wow. C'est une grande romantique, ta sœur.

- Bah. Le problème, c'est que les gars collent. Même quand elle dit qu'elle ne veut plus rien savoir d'eux, ils continuent à lui téléphoner et à lui envoyer des textos. La semaine dernière, elle a reçu un super gros bouquet de fleurs. Il lui faudrait une secrétaire pour gérer ses amours.

Il y a eu un moment de silence. Je me suis allongée sur mon lit en regardant le plafond.

- Mouais... Je ne sais pas si je serais capable d'agir comme elle.

- T'as rien à perdre, a dit Kim.

- Mais oui ! Je ne suis pas comme la sœur de Nath. Je ne veux pas un harem de gars, c'est avec Michaël que je veux sortir. Et s'il le prenait mal ? Genre, il me laisse tomber parce que je le traite avec indifférence ?

- Ça n'arrivera pas, a affirmé Nath. Ça va le faire flipper. Il va se rapprocher de toi.

Kim a donné un coup de coude à Nath.

- Comme si t'étais une experte en gars.

Elle a regardé Kim puis a baissé les yeux immédiatement. Ses joues sont devenues rouges.

Il se passe quelque chose entre ces deux-là. C'est sûr. Et c'est tant mieux. 🙄

Publié le 25 septembre à 20 h 21 par Nam
Humeur : Calme (surprise !)

> Avant la tempête ?

Dans moins de douze heures, Kim sera ou ne sera pas la présidente du comité étudiant. Plus on approche de l'heure fatidique et plus je suis zen. C'est assez étrange parce que cet après-midi, j'ai rongé tous mes ongles, ce que je n'avais pas fait depuis le primaire. Et maintenant, je suis en paix.

On ne peut plus rien faire.

Je ne peux plus rien faire.

J'ai essayé d'imaginer quelle serait ma réaction si on perdait. Me connaissant, je crois que je vais aller dans les extrêmes. Soit je vais taper du pied, pleurer, hurler et me rouler par terre et tressaillir comme si j'étais électrocutée. Soit je vais rire comme une sorcière et danser main dans la main avec le premier venu qui n'aura pas honte de moi.

Je crois que j'ai plus peur de la réaction de Kim. Elle donne l'impression d'être en contrôle, mais il me semble qu'elle est sur le point de déraper. Elle aussi dit qu'on ne peut plus rien faire. Et qu'on a mené une bonne campagne, même si elle a été pénible. Est-ce qu'on aurait pu faire mieux ? On peut toujours faire mieux. Mais dans les circonstances, pour une première expérience, on a bien fait.

Kim manque de confiance en elle. Elle se pose toujours des questions sur ses aptitudes. Si elle perd (ce qui ne va pas arriver), elle va tout remettre en question et on va devoir la ramasser à la petite cuillère. Je crois qu'elle est plus mal prise que moi.

(...)

Michaël vient de se brancher à Messager et de m'envoyer un message :

Mik-les-doigts-en-sang :

Yo Nam ! T'as passé une belle journée, ma douce ?

Je fais quoi ? Comme si je n'avais pas le cœur serré dans un étau et je réponds comme si de rien n'était ? Ou je mets en pratique la théorie de la sœur de Nath et je l'ignore ?

Dilemme.

OK, je l'ignore. On va voir ce qui va se passer.

(...)

Fred n'a pas pu souper ce soir. Tintin nous a dit qu'il s'est mordu la langue et ne peut plus rien se mettre dans la bouche. C'est vrai que sa langue est en piteux état. Elle ressemble à celle d'un serpent, coupée au bout. Tintin a dit aux parents que cet accident est survenu quand il mâchait de la gomme. Mes parents ont fait comme si c'était possible. *NAWAK !* C'est de la gomme en béton qu'il achète ?

Je pensais qu'il avait mis sa langue où il ne devait pas. Genre dans un mélangeur en marche ou un ventilateur.

Mais non. Tintin prétend que c'est un accident de *parkour*. Il a sauté du toit de la maison à celui du cabanon et s'est sectionné la langue avec ses dents. Paraît que ça saignait énormément.

Pourquoi Fred n'apprend pas de ses erreurs ? Il est CLAIR que cette histoire de *parkour* va mal se terminer. Mon frère a autant d'agilité qu'un koala en fauteuil roulant. Est-ce que je suis la seule à l'avoir remarqué ? Je lui ai dit : « Tu vas te ramasser à l'hôpital. C'est quoi l'affaire ? Pourquoi risquer ta vie ? »

Et pourquoi Tintin, qui est son meilleur ami, ne l'a-t-il pas arrêté ?

- Parce que je suis son meilleur ami, justement, il m'a répondu. Je n'ai pas à juger ce qu'il fait. Mon rôle est de l'encourager.

Le pire est que si je vais en parler à Pop ou à Mom, ça ne va rien donner. Fred va juste être super fru contre moi et il va faire ses niaiseries en cachette.

(...)

Michaël m'a écrit une autre fois. Il me demande si je suis là. Je n'ai pas répondu.

Ce n'est pas facile !

Il faut que ça donne des résultats rapidement. Sinon, je ne tiendrai pas le coup.

(...)

Parlant de Tintin, il porte tout le temps mon casque de vélo princesse. Il dit que ça lui donne un « style ». Comme s'il en avait besoin ! Chaque fois qu'il arrive avec une nouvelle excentricité, Pop perd deux années d'espérance de vie. Ce soir, j'étais sûr qu'il allait avaler sa fourchette en mangeant sa lasagne.

C'est un soldat, mon père. Il travaille dans un milieu super rigide où pas un poil ne doit dépasser, sinon il est obligé de faire vingt-cinq pompes d'un seul bras en chantant « Au clair de la lune ». Tintin est à des millions d'années-lumière de sa définition de mode. Mais il est bon. Il ne dit rien. Même quand son visage devient bleu et que de grosses veines mauves apparaissent sur son front. Mom met sa main sur la sienne et lui fait un clin d'œil.

Grand-Papi est moins diplomate. Il dit que Tintin est le fils de Belzébuth. (Je viens de vérifier sur le Net : Belzébuth est un des nombreux noms donnés... au diable !)

Grand-Papi l'aime quand même.

(...)

Il est tard, il faut que j'aille me coucher. Je dois dormir.

Honnêtement, demain me fait peur.

Pas besoin de
nous humilier
Namxox

Publié le 26 septembre à 11 h 53 par Nam
Humeur : Abattue

> **Mauvais gagnants !**

Kim a perdu. Par deux voix ! Monsieur M. dit qu'il a recompté lui-même tous les bulletins à trois reprises et que le résultat est le même. Il avait l'air déçu. Il s'est même excusé.

Comment j'ai réagi ? C'est comme si j'avais reçu une flèche dans le cœur, mais pas celle de Cupidon. Non, celle-là avait un pointe empoisonnée et enflammée. Je n'ai rien laissé paraître. Du moins, j'ai essayé.

Même chose pour Kim. Elle est restée de glace quand Monsieur M. a donné les résultats. Le dos droit, elle est allée féliciter Jimmy qui hurlait avec sa bande de babouins comme s'ils venaient d'apprendre que les fontaines de l'école allaient fournir de la crème autobronzante.

Puis Nath, Kim et moi sommes sorties. Des larmes coulaient déjà sur les joues de ma meilleure amie. En passant devant les toilettes, elle s'y est précipitée. On l'a suivie. Et toutes les trois, on a pleuré.

Mais la vie continue. Ça va faire mal quelques jours et lentement, on va oublier.

Kim a reçu des félicitations des professeurs et des élèves. Tout le monde lui a dit que l'année prochaine allait être la bonne.

C'est quand même incroyable : Jimmy n'avait aucun programme électoral et rien d'intéressant à dire. Et il a gagné. C'est beau la démocratie mais des fois, c'est enrageant.

Le problème, c'est que les membres de l'équipe de Jimmy rient de nous. Genre, ils nous montrent du doigt et, avec le pouce et l'index, ils forment un L sur leur front, L pour *loser*. C'est humiliant. J'espère qu'ils vont cesser ce petit jeu.

Il y a des mauvais perdants, mais eux, ce sont de mauvais gagnants. J'ai tellement le goût de m'enfoncer dans le plancher quand j'en croise un. Je fais comme si je n'avais rien vu, mais ça m'affecte.

Je vais aller dîner même si je n'ai pas faim.

Publié le 26 septembre à 17 h 27 par Nam
Humeur : Éberluée

> Fred, mon sauveur !

Je n'en reviens pas ! Mon frère s'est battu après l'école ! On se rendait à l'arrêt d'autobus Kim, Nath et moi, quand on a commencé à se faire insulter par la girafe de Jimmy, la grande échalote qui a essayé de m'initier. Il marchait derrière nous, à quelques mètres. Il parlait avec une supposée voix de fille et nous disait des trucs du genre :

- Paraît que les fifilles ont pleuré parce qu'elles ont perdu ? Si on leur donne un bonbon, est-ce que les fifilles vont arrêter de pleurnicher ? Est-ce que les fifilles pensaient vraiment qu'elles avaient une chance ?

Au début, on l'a ignoré, mais à un moment donné, j'en ai eu assez, j'ai pété les plombs. La journée avait été assez pénible, pas besoin d'en rajouter.

- T'arrêtes, OK ? On a perdu, on le sait.

Mes yeux arrivaient à la hauteur de sa poitrine. Il est vraiment grand !

Encore avec sa voix aiguë méga énervante :

- Qu'est-ce que la fifille va faire si je n'arrête pas ? Elle va aller se plaindre au directeur ?

- Je te demande d'arrêter, s'il te plaît.

- La fifille est tellement polie.

J'ai monté le ton.

- Arrête !

Kim m'a touché le bras et m'a dit de laisser faire. La girafe en a rajouté.

- Oh, je sens que la fifille va bientôt pleurer.

Il avait raison. Je me forçais pour ne pas éclater en sanglots. Je savais que si ça m'arrivait, il allait me faire une réputation de pleurnicharde.

Puis Tintin et Fred ont surgi.

- Ra va ? (Ça va ?)

Fred a de la difficulté à parler à cause de sa blessure. Comme il doit bouger sa langue le moins possible, ça lui donne une drôle de prononciation.

- Non, j'ai dit, il n'arrête pas de nous écœurer.

Fred s'est tourné vers la tour Eiffel.

- R'est quoi ron roblème ? (C'est quoi ton problème ?)

- C'est quoi ton problème ? Tu parles comme un débile mental.

- Un accident de gomme à mâcher, a dit Tintin.

- Toi, la tapette en jupette, ferme ta gueule.

On a tous été stupéfaits par la violence de ses propos. Tous, sauf Fred. Il a repoussé la grande affaire.

- Chi tu rérètes cha, re te rogne. (Si tu répètes ça, je te cogne.)

Je suis intervenue.

- Laisse-le faire, Fred. C'est un idiot.

La tour du CN de Toronto a adopté une autre fois son ton de fillette.

- La fifille est sauvée par son grand frère, c'est tellement chou.

Je n'avais jamais vu Fred dans cet état. Ses yeux voulaient sortir de ses orbites. Il était vraiment en colère.

- Ch'est ma choeur que tu traites de chichille ? (C'est ma sœur que tu traites de fifille ?)

Les élèves de l'école avaient commencé à se rassembler autour de nous.

- Laisse faire, Fred. Viens, on s'en va.

Le mât du Stade olympique à Montréal, tentant de m'imiter :

- Laisse faire, Fred. On s'en va.

Je tirais sur la manche du manteau de mon frère. Soudainement, Fred a bondi. Et il a donné un coup bien senti sur la mâchoire du diplodocus. Le gars a titubé et a regardé Fred d'un air éberlué, comme trop estomaqué pour pouvoir réagir. Puis il a tenté de riposter.

Moi, j'ai crié et j'ai reculé. Et j'ai fermé les yeux. Quand je les ai rouverts, quelques instants plus tard, le Géant vert était allongé par terre, la bouche en sang. Et il faisait signe à mon frère que c'était assez.

Et on est tous partis vers l'arrêt d'autobus.

- *Man*, où t'as appris à te battre comme ça ? a demandé Tintin.

Fred tremblait. Il a répondu quelque chose que personne n'a compris.

On n'a pas parlé pendant le trajet en autobus.

Et depuis que je suis à la maison, Fred est dans sa chambre. Kim vient de partir, on a fait quelques devoirs sur la table de la cuisine.

On a parlé avec Tintin. Ce qui s'est passé est irréel. Fred n'a jamais fait de mal à une mouche et il vient de se battre avec le plus grand gars de l'école ! Et il a gagné, en plus !

- Tu sais, m'a dit Tintin, ton frère t'aime beaucoup.

C'est fou, mais je n'avais jamais réalisé ça. Je suis allée le voir dans sa chambre. Il était couché sur son lit, de la glace sur sa main. Je l'ai embrassé sur la joue et je l'ai remercié.

Tintin a aussi ajouté que la défaite de Kim lui a fait mal.

- Je ne sais pas trop pourquoi, mais en après-midi, il était super de mauvaise humeur.

Quelle journée bizarre !

Mom vient de rentrer, je vais aller lui parler.

(Pour ce billet, j'aimerais remercier Internet qui m'a fourni la liste des animaux/bâtiments les plus hauts du monde.)

Michaël,
mon cobaye
Namxox

Publié le 26 septembre à 20 h 02 par Nam
Humeur : Étourdie

> A-t-il bien fait ? Oui et non

Quand Mom est entrée, je suis allée la voir tout de suite et je lui ai raconté ce qui s'était passé. Je ne voulais surtout pas que Fred se fasse punir !

Mom est allée voir Fred dans sa chambre et ils ont discuté quelques instants. Puis Grand-Papi est arrivé, Pop aussi. Les deux l'ont félicité de m'avoir défendue ! Pop a dit qu'il était fier de lui. Habituellement, il reçoit des reproches, des trucs pas très gentils. Faut dire que mon frère ne fait jamais grand-chose pour se faire aimer...

Pop l'a pris dans ses bras et il a frotté sa joue contre la sienne. Fred n'a pas aimé ça, il s'est essuyé discrètement avec le torchon de la cuisine dès que Pop a eu le dos tourné. Fred était mal à l'aise. Il n'est pas habitué à recevoir autant d'attention positive. Quand on s'occupe de lui, normalement, c'est parce qu'il a fait un mauvais coup.

Mom lui a quand même rappelé qu'il fallait « privilégier la discussion ».

- Des fois, a dit Pop, la discussion ne mène à rien. Il faut mettre les points sur les i. Et sur les visages.

Grand-Papi a trouvé ce jeu de mots drôle. Pas Mom.

- La violence n'est pas une solution.

Pop a répliqué :

- Parfois, oui.

Une discussion entre Mom, la pacifique, et Pop, le guerrier, ne peut que mal se terminer.

Grand-Papi a frappé sur la table.

- OK, on change de sujet. J'ai quelque chose de drôle à vous raconter. Youki a mangé une corde. Et un bout de cette corde est resté coincé entre deux de ses dents tandis que l'autre lui sortait des fesses.

Comment c'est possible, quelqu'un le sait ? J'ai cherché sur le Net. Tout ce que j'ai trouvé, ce sont des photos vraiment dégoûtantes. J'ai vieilli de dix ans.

Grand-Papi a le tour de nous ouvrir l'appétit.

(...)

Le « cas Michaël », maintenant. Ce matin, surprise ! il était à l'arrêt d'autobus et m'attendait. La méthode de la sœur de Nath serait-elle à ce point efficace ?

- J'ai essayé de te parler hier soir sur Messager, tu ne répondais pas.

- Ah oui ? Vraiment ?

- Ouais. C'était écrit que t'étais en ligne.

- Je n'ai pas vu. Désolée.

- Je me disais, aussi. Ce n'est pas ton genre de m'ignorer.

Je lui ai fait un clin d'œil.

- Tu pourrais être surpris.

Il a ri. Pas moi.

J'étais super flattée qu'il vienne me rejoindre à l'arrêt d'autobus. J'aurais voulu lui sauter dans les bras et faire la danse des canards. Mais je me suis retenue.

L'attention qu'il me portait tout à coup était peut-être un hasard. Je veux voir si je peux le manipuler encore un peu plus. 😌

Pause. Si un jour, quelqu'un tombe sur ce blogue par hasard, je ne veux pas qu'il pense que je suis ce genre de fille-là. Une fille qui aime jouer avec les sentiments des gars. Bon, OK, peut-être un peu. Mais pas par méchanceté. Par curiosité. Il me semble qu'avec le « cas Michaël », deux choix s'offrent à moi : il dirige ou je dirige. Il a les mains sur le volant ou c'est moi. Je préfère prendre le contrôle. Ça fait moins mal, je me pose moins de questions et je me sens moins nulle.

Je ne serai jamais comme la sœur de Nath, c'est sûr. Parce que ça ne mène à rien. C'est quoi le rapport de charmer des gars et de les laisser tomber après ? Moi, je veux un *chum* qui va m'aimer. Et que je vais aimer, bien entendu. Il va être beau, fort et *sexy*, et il va me faire rire. Comme Michaël. Je ne veux pas agir comme une chasseuse et me retrouver avec une collection de têtes de gars sur les murs de mon salon (OK, ça, c'est *weird*).

Finalement, Michaël est mon cobaye. Pauvre ti-chou, je vais faire attention à lui.

J'ai donc continué à le faire souffrir un peu. Quand il m'a demandé si je voulais dîner avec lui, j'ai dit que j'étais très occupée. Ce qui était faux. C'était la première fois que je lui disais non.

On verra ce que ça va donner. Pour l'instant, ça semble fonctionner.

(...)

Au premier cours de l'après-midi, j'ai remis à monsieur Patrick le poème que j'ai écrit en l'honneur de la margarine. Je l'ai relu et c'est absolument, complètement, indubitablement débile. Les médicaments que Mom m'a donnés pour mes crampes menstruelles étaient beaucoup trop forts. J'ai déliré. J'ai même pensé ne pas le lui remettre. Tsé, Kim a écrit un poème sur l'automne qui s'en vient. D'autres sur leur premier amour, sur leur grand-mère morte et sur les guerres dans le monde.

Moi, sur un corps gras.

Schnoute.

Je me vois dire à monsieur Patrick que j'ai écrit le poème pendant que j'étais dans un état second. C'est clair que je vais recevoir le méritas de la droguée de l'année.

(...)

Kim n'a pas été déprimée longtemps ! Je me suis trompée sur elle, j'avoue. Je pensais que j'allais devoir lui remonter le moral avec une grue. Ça a été dur pendant la journée, mais ce soir, elle pète le feu.

On vient de *tchatter* et elle m'a appris que demain, elle va entreprendre des démarches pour créer un groupe d'entraide à l'école pour les gais et les lesbiennes, mais aussi pour ceux et celles qui ont des problèmes à s'accepter. Elle veut appeler son projet « Je m'aime ». C'est une super bonne idée ! Monsieur M. ne pourra pas le lui refuser.

Si ça pouvait aider au moins une personne à être heureuse, ce serait déjà une belle victoire !

(...)

Étrange ! Je viens d'aller sur le blogue que j'ai créé pour la campagne électorale de Kim. Je voulais l'éliminer. Mais quelqu'un a envoyé un message à l'administrateur (qui est moi) :

«Jimmy a triché. Il a payé des gens. Secondaire 1 et secondaire 5. »

Qu'est-ce que ça veut dire ? ! Le message a été envoyé ce soir, un peu après le souper. J'ai répondu à la personne qui se fait appeler « RKRP » :

« Salut RKRP, qu'est-ce que tu veux dire quand tu écris que Jimmy a acheté des gens ? Pourquoi avoir mentionné ces deux niveaux-là et pas les cinq ? »

Pour l'instant, pas de nouvelles.

Je vais rester muette à ce sujet. Je vais attendre d'avoir plus de détails. Si j'en ai un jour.

La tour Ostankino suspendue

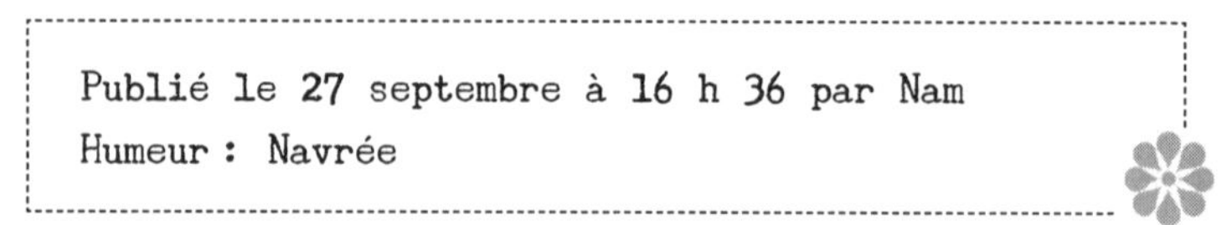

> **Quelques jours à la maison pour Fred**

Oups ! Fred a été suspendu de l'école pour le reste de la semaine. La tour Ostankino de Moscou aussi (je ne sais plus quel nom lui donner !). Le directeur les a rencontrés dans son bureau ce matin et leur a dit qu'à la prochaine infraction, ils allaient être renvoyés de l'école. C'est sérieux !

Fred s'est levé en retard, il a dit qu'il avait oublié de régler son réveille-matin. Mais Mom l'a entendu sonner. Quand je suis partie vers l'arrêt d'autobus, il n'avait pas encore mangé et il était encore en *boxer.* Mom n'était pas contente. C'est elle qui l'a conduit à l'école.

En fait, Tintin m'a dit que Fred avait vraiment peur d'aller à l'école. Peur de se faire battre par les amis du séquoia. Je le comprends. Il ne regrette pas de m'avoir défendue, mais il est terrorisé. Surtout que plusieurs des gars de la gang à Jimmy sont dans ses classes.

Il a fallu que Mom parte de l'hôpital où elle travaille pour aller chercher Fred à l'école. Je n'ose imaginer sa mauvaise humeur.

En plus, il faut qu'il écrive un texte de cinq cents mots pour dénoncer la violence.

Pop est peut-être fier des gestes de mon frère, mais il y a des conséquences.

Je me sens coupable parce que c'est un peu de ma faute si c'est arrivé. Si je le pouvais, je purgerais sa suspension pour lui.

Aujourd'hui, personne ne m'a narguée. Kim et Nath ont aussi été épargnées. Les crétins bronzés nous ont laissées tranquilles. Et Tintin m'a dit que personne n'avait essayé de provoquer Fred. Du moins pas pendant qu'il était là à la première période.

Ça me fait penser à la fois où Zac s'est battu avec une brute l'année dernière. On l'a laissé tranquille après.

(…)

Mise à jour du « cas Michaël ». Il m'a annoncé aujourd'hui qu'il était en train de m'écrire une chanson. Il sait comment m'amadouer, le sacripant ! J'essaie de rester froide avec lui, malgré tout.

Il a un cours de musique demain soir. Nath, Kim et moi, on a décidé de le suivre. On veut voir à quoi ressemble la fameuse Mylène.

- Peut-être qu'elle n'existe pas, a dit Nath. Peut-être qu'il veut juste te rendre jalouse ?

Je ne peux pas croire qu'il me ferait ça ! On verra demain si la véritable Mylène existe.

Nath a semé un doute dans mon esprit. La coquinette !

(…)

Toujours pas de nouvelles de la personne qui m'a écrit au sujet des élections. Si je n'en ai pas dans quelques jours, je vais détruire le blogue.

Kim a entendu parler des rumeurs de tricherie de la part de Jimmy (de ses moutons, en fait, parce qu'il est assez intelligent pour ne pas se salir lui-même). Mais parce que ce ne sont que des rumeurs, on ne peut rien faire. On ne sait même pas comment il aurait pu tricher. Acheter des gens, d'accord. Mais qui ? Monsieur M. ? Ah ! Ah ! Ce serait tellement vilain !

On ne sait pas de qui viennent ces informations. C'est toujours « un ami d'un ami d'un arrière-cousin » qui aurait entendu telle chose.

Kim refuse de s'attarder à ces rumeurs.

- L'élection a eu lieu, j'ai perdu, c'est fini. On passe à autre chose.

Elle a raison. À quoi servirait de gratter le bobo !?

Je vais souper.

Publié le 27 septembre à 21 h 03 par Nam
Humeur : Perplexe

> Des nouvelles de RKRP

Il (elle ?) m'a écrit au sujet de la tricherie de Jimmy :

« Jimmy a acheté les élèves qui s'occupaient des boîtes pour voter. Deux personnes : secondaires 1 et 5. J'en ai entendu parler. Je n'en sais pas plus. »

Hum... Encore une rumeur. Ça ne vaut rien. C'est sûrement quelqu'un de l'école qui a entendu la même pseudo-information que Kim. Reste qu'il y a plus de détails.

Si ces personnes ont vraiment triché, comment elles ont fait ?

Demain, je vais demander au directeur des détails sur les votes. Par niveau. Voir s'il y a une grande différence entre les votes que Jimmy a obtenus en secondaires 1 et 5 et les autres. Mais en secondaire 5, ce serait normal qu'il ait obtenu une majorité. On verra. S'il n'y a rien d'évident, je laisse tomber. Pas de temps à perdre avec ça. Kim semble être passée par-dessus la défaite, mais moi, ça me fait un peu mal encore. Je ne veux pas me battre pour rien.

Je me demande bien qui est la personne qui m'écrit. Et ce que le pseudonyme RKRP veut dire.

- Le Regroupement des Koalas Rivaux de la Province ?
- Le Rassemblement des Kilos Restants après s'être Pesée ?
- La Rivière Kremlinoise Rejette des Pierres ?

✻ Le Rasage d'une Kyrielle de Ratons est Problématique ?

✻ Répondre à un Kurde en ratissant un Papillon ?

✻ Ronger du Krypton fait Rapidement Péter ?

NAWAK ! Dans le fond, ça n'a peut-être aucune signification. C'est peut-être juste quatre lettres mises ensemble par hasard.

Je vais aller me coucher, je dors assise.

La tentation
était forte
Namxox

Publié le 28 septembre à 16 h 52 par Nam
Humeur : Suspicieuse

> Il croit vraiment qu'on va y aller ?

Ce matin, parce qu'il pleuvait, les portes de la cafétéria étaient déverrouillées pour qu'on puisse s'y réfugier en attendant la cloche. Il y avait un attroupement. C'était Jimmy, le centre d'attraction.

- Bon, qu'est-ce qui se passe encore ? a demandé Kim.

Il distribuait des genres de cartes d'affaires à ses amis. Puis on a réalisé qu'il s'agissait de billets. Pour célébrer l'événement « historique » de son élection, il organise un méga *party* chez lui vendredi prochain. Pour l'occasion, il a même fait imprimer des laissez-passer !

Tout le monde se les arrachait. Jimmy décidait qui il invitait. Il a donc refusé plein de gens.

Quand on est passées devant lui, Kim, Nath et moi, il nous a arrêtées. Il portait des verres de contact impossibles : un truc qui ressemblait à des yeux de chat. Vraiment épeurant. Ça lui donnait un air de monstre. Ce qu'il est, soit dit en passant.

Il a tiré trois billets de sa pile et nous les a tendus :

- J'espère que vous allez venir, les filles. On va beaucoup s'amuser.

Il nous a fait un sourire comme s'il ne s'était jamais rien passé entre nous. Comme si un membre de son équipe n'avait jamais vandalisé nos affiches, comme s'il n'avait jamais ridiculisé Kim parce qu'elle est lesbienne, comme s'il n'avait jamais ri de Nath parce qu'elle est un peu plus grosse que la moyenne, comme s'il ne nous avait pas humiliées après notre défaite et comme si mon frère n'avait pas mis K. O. son directeur de campagne !

Ce mec vient d'une autre planète. 👽 C'est sûr. À moins qu'un de ses deux parents soit un humain, et l'autre une créature venue de l'espace. Avec des tentacules et le corps plein de pustules expulsant des sécrétions multicolores et pestilentielles.

Sans blague. Il est *full* déstabilisant, ce mec. On n'a pas su comment réagir. On a pris les billets et on a marché vers nos casiers.

Sur ses papiers cartonnés il avait écrit (désolée pour les fautes, je ne les corrige pas !) :

« ULTRA PARTY CHEZ JIMMY

OU: VOUS LE SAVER !

QUAND : VENDREDI LE 30 SEPTEMBRE

A PARTIR DE 8 HEURE DU SOIR

APPORTER LE MAILLOT DE BAIN ET VOTRE ALCOOL

(Le billet est obligatoire pour entrer.) »

Et il y avait la photo d'une fille en bikini.

- Il est malade, a dit Nath. Est-ce qu'il pense vraiment que ça nous intéresse ?

- Il nous niaise, j'ai dit. Il veut donner l'impression qu'il est un bon gars en nous invitant, mais il sait qu'on n'ira pas.

-Avant que je mette les pieds chez lui, a poursuivi Kim, je vais avoir un troisième nombril.

Nath et moi, on a regardé Kim. Nath a demandé :

- Le deuxième, il est où ?

Kim a montré du doigt un bouton d'acné qu'elle avait dans le front :

- Là. Il pousse lentement.

On a éclaté de rire.

Le sujet de conversation de la journée a été la fête chez Jimmy. Il semble que tout le monde voulait y être, sauf nous trois. La dernière fois qu'il en a organisé une, c'était l'année dernière. Il paraît que l'école en a parlé pendant des mois.

- Ça s'est fini au lever du soleil, nous a appris Kim. La police est intervenue trois fois, une fille a été hospitalisée et un des invités a été retrouvé dans le bac à recyclage deux jours plus tard.Après la fête, on a compté les bouteilles de bière vides. Paraît qu'il y en avait plus de cinq cents.

- Wow, j'ai fait. J'aurais aimé voir la tête du commis du dépanneur quand il les a retournées.

Nath a douté :

- Cinq cents ? Ce n'est pas possible. Voyons donc. Y'a quelqu'un qui ne sait pas compter.

Kim a haussé les épaules :

- Bof, vrai ou faux, je m'en fous.

(...)

Kim et moi, on est allées au bureau de Monsieur M. Kim pour parler de son projet de groupe d'entraide, moi pour avoir le nombre de votes par niveau.

- Pourquoi tu veux ça ? m'a demandé Kim.

- Comme ça. Ça m'intrigue.

- T'es biz, Nam.

Monsieur M. était en réunion. Sa secrétaire m'a dit qu'elle allait lui faire la demande pour les votes, de revenir demain.

Pour le projet de Kim, elle lui a recommandé de le mettre sur papier avant de le présenter.

Elle est gentille, cette femme, même si ses faux ongles me rendent mal à l'aise. Le bout est carré et trop blanc, ils sont trop longs et sur les pouces, il y a une espèce de bague qui les perce.

Pour une onglivore comme moi... même si j'avais été nerveuse, je n'aurais pas sauté sur le bureau pour les ronger !

(...)

Le « cas Michaël », maintenant. Chaque fois que je me suis rendue à mon casier, Michaël y était. Et il m'a raccompagnée à tous mes cours.

Il y a quelque chose qu'il ne pige pas, ce Michaël chéri. C'est à lui de choisir entre sa blonde (ça me fait mal d'écrire ça) et moi. Je ne peux pas choisir pour lui.

Je ne comprends pas pourquoi il me colle comme ça. C'est plaisant, c'est sûr. Je l'aime, Michaël. Mais ce serait encore plus génial s'il n'y avait pas une autre fille dans le décor.

D'ailleurs, Kim, Nath et moi, on part à l'aventure ce soir. On va au cours de musique de Michaël. Pour voir à quoi ressemble mon ennemie mortelle.

Salut à toi,
Fabien Poussin
Namxox

Publié le 28 septembre à 20 h 58 par Nam
Humeur : Frustrée

> Tout ça pour ça !

Eh bien, ce soir, j'ai vraiment frôlé la catastrophe. Il s'en est fallu de très peu pour que je sois humiliée au cube, condamnée à rester cachée dans un sous-sol pour le reste de ma vie. Et à réagir à la lumière comme une blatte.

Je dois définitivement rayer de ma liste de choix de carrière le métier d'espionne. Je suis plus que nulle. Et Kim et Nath ne sont pas meilleures que moi ! On s'est surnommées les Trois moustiquaires.

Nath, Kim et moi, on devait prendre l'autobus pour se rendre au cours de musique de Michaël. J'ai essayé d'imaginer à qui ressemblait Mylène. Grande fille ? Petite ? Blonde, brune ? Cheveux longs, courts, elle se rase la tête tous les matins ? Je voulais savoir !

Le problème est que lorsque j'ai regardé l'horaire de l'autobus, je me suis trompée de direction. Et à cette heure, parce que les autobus passent à chaque éclipse lunaire, si on le rate, on est cuite.

J'allais annuler la mission quand j'ai vu Grand-Papi passer dans mon champ de vision. Il ne dit jamais non, Grand-Papi, quand je lui demande de venir me reconduire. Pas d'exception à la règle, il n'a pas posé de question. Pendant qu'on partait à la recherche de la Mylène, il est allé boire un café dans un resto de beignes (un restaurant où on vend des beignes, pas où les clients en sont !).

Selon les informations que j'ai recueillies subtilement pendant la journée (« Hey, Michaël, mon chou, il est à quelle heure ton cours et c'est quoi l'adresse ? »), on s'est rendues sur les lieux à l'heure prévue. C'est une bâtisse de trois étages qui ressemble à une ancienne école recyclée en centre de loisirs.

Les trois, on portait des lunettes fumées, même si le soleil ne s'était pas pointé depuis trois jours. Et Kim avait décidé de s'habiller en vert, « pour se fondre dans le décor ».

- On ne va pas chasser le caribou dans la forêt, je lui ai fait remarquer. Son école est en pleine ville.

- Ouais, mais il y a sûrement des arbres. Ou des plantes.

- C'est vrai, Kim, j'ai dit. Tu ressembles beaucoup à une violette africaine. Aucune différence entre vous deux.

Quelques instants après notre arrivée, on a vu Michaël surgir. Les trois, on a réussi à se cacher derrière une borne-fontaine. Si Michaël s'était retourné, il aurait aperçu trois cruches qui jouaient à cache-cache avec lui sans son consentement. Je portais mon manteau rouge, j'aurais pu passer pour le prolongement de la borne. Mais Kim était déguisée en mauvaise herbe et Nath portait son ensemble fluo.

Michaël était seul. Il a grimpé les marches deux par deux et s'est engouffré dans l'immeuble.

Quand nous sommes sorties de notre planque de la mort, Nath a demandé :

- OK, on fait quoi, maintenant ? On entre, on ouvre toutes les portes et on le cherche ? Et quand on l'a trouvé, on s'excuse, on claque la porte et on s'enfuit en marchant comme un pingouin ? Avec les lunettes, il ne va pas nous reconnaître.

Un silence. Puis Kim la fougère a dit :

- On fait un appel à la bombe. Tout le monde va devoir sortir.

- Ce n'est pas illégal ? j'ai demandé.

- Peut-être. Tu t'imagines que je connais toutes les lois ? Tu penses que je lis le Code criminel avant de me coucher ?

Fallait que j'intervienne pour faire cesser ces folies.

- Je crois que le plus simple est qu'une de vous deux essaie de trouver dans quelle classe a lieu le cours. Il y a sûrement un tableau en entrant.

Kim a traversé la rue et est entrée. Elle est sortie quelques instants plus tard.

- Il y a des plantes à l'intérieur. Je vais pouvoir y aller sans me faire repérer. Je savais que je faisais bien en m'habillant comme ça.

- Peut-être, j'ai dit. T'as une idée où se trouve la salle de cours ?

- Au rez-de-chaussée. C'est écrit Fabien Poussin, professeur de musique. Local 16.

Nath a regardé Kim par-dessus ses lunettes.

- Fabien qui ?

- Fabien Poussin, Kim a répété.

- C'est complètement absurde comme nom, j'ai dit.

- Je sais. Mais c'est le seul truc qui a rapport avec la guitare.

J'ai réfléchi à voix haute :

- C'est drôle, mais de savoir que Michaël accepte d'avoir un prof qui s'appelle comme ça, je l'aime moins.

Nath a frappé dans ses mains.

- Bon. On passe à l'attaque. Il y a des fenêtres sur les côtés de la bâtisse. On n'a qu'à regarder au travers. S'il est au rez-de-chaussée, ce sera assez facile.

Excellente idée. Sauf que les fenêtres étaient trop hautes. Nath a essayé de me faire la courte échelle, mais ce n'était toujours pas assez haut.

Kim la pelouse a trouvé une solution.

- Nam, il va falloir que tu montes sur les épaules de Nath pendant que je vais être sur les tiennes.

Je comprenais pourquoi Nath devait être en dessous, parce qu'elle était la plus lourde. Mais Kim et moi avons le même poids. Et c'est moi qui voulais voir de quoi a l'air ma rivale.

Son explication m'a tellement déstabilisée que je ne l'ai pas contredite.

- S'il y a des plantes sur le bord de la fenêtre, je vais me fondre dedans. Ils ne s'apercevront de rien.

Donc j'ai monté sur les épaules de Nath et après, Kim a essayé de grimper sur les miennes. Heureusement qu'il y avait le mur pour nous garder en équilibre sinon, c'était l'effondrement.

- Vous êtes loooourdes ! s'est lamentée Nath.

- Arrête de bouger ! a ordonné Kim.

J'ai tassé un de ses pieds.

- Kim, c'est pas une marche, c'est un de mes seins !

Kim n'en avait rien à faire.

- Arrêtez de bouger ! Je ne vois rien !

Nath, le souffle coupé :

- Dépêchez-vous ! Mes épaules brûlent !

Le centre de loisirs se trouve sur une rue passante. Un boulevard, en fait. En face, il y a une résidence pour personnes âgées. Une personne âgée est sortie avec sa chaise pliante et s'est assise avec ses lunettes d'approche pour nous regarder.

- C'est *full* gênant, j'ai murmuré.

Kim s'est tournée vers elle en criant :

- On est des artistes de cirque ! Des professionnelles ! Il ne faut pas essayer ça à la maison !

Finalement, on a trouvé Michaël. La dernière fenêtre, bien sûr.

- Il est là, a dit Kim.

- Qui ?

- Michaël. Il est avec quelqu'un. Je pense que c'est Mylène.

- Pour vrai ?! Elle ressemble à quoi ?

Nath est intervenue.

- Les filles, je capote. Je ne pourrai plus tenir longtemps. J'ai senti les coutures de mes culottes craquer.

Kim a baissé la tête.

- Tes culottes ? Comment elles peuvent craquer ?

J'ai remis ma meilleure amie dans le droit chemin.

- Hé ! Dis-moi à quoi elle ressemble !

- OK, OK. Si vous pouvez arrêter de bouger ! Alors... Les cheveux roux. Assez longs. Elle porte un bandeau autour de la tête. Elle porte de grosses lunettes fumées laides. Des favoris. Et elle a une moustache.

Pardon ?

- Quoi ! Des favoris ? Une moustache ?

- Ouais. Et elle embrasse Michaël avec la langue.

- QUOI ?

- MERDE !

Kim a tassé son visage de la fenêtre, ce qui a eu pour effet de nous déstabiliser.

- Quoi ? a demandé Nath.

- Il m'a vue ! Il faut s'en aller !

Quelques instants plus tard, on se ramassait les trois, les foufounes sur la pelouse.

Rien de cassé. On s'est relevées et on est parties à courir. Je ne sais pas pourquoi, mais Nath hurlait comme si elle avait vu un ours. Évidemment, aucune de nous n'a pris la même direction. Et ce, pendant qu'un vieux monsieur applaudissait sans aucun rythme, genre deux coups rapides, un lent, un rapide et trois lents. Peut-être qu'il voulait nous dire quelque chose en morse !

On s'est retrouvées quelques minutes plus tard devant le magasin de beignes. J'avais quelques questions à poser à Kim.

- Tu dois m'expliquer comment il se fait que Mylène a une moustache.

- Les hormones, elle a répondu. C'est fort.

- Arrête de niaiser. Dis-moi ce que tu as vu.

- Y'avait juste Michaël et un gars aux cheveux longs dans la classe. Pas de fille.

- OK, genre Michaël et Machin Poussin.

- Et ils s'embrassaient avec la langue ? a demandé Nath.

- Mais non, c'était une blague. Je voulais ajouter un peu d'ambiance. Ils s'embrassaient, mais sans la langue.

J'ai donné un coup d'épaule à Kim.

- Arrête, t'es dégueu.

Finalement, pas de Mylène. Échec sur toute la ligne.

Je suis allée sur le Net et j'ai cherché le nom de Fabien Poussin. Il correspondait à la description de Kim : cheveux longs, lunettes fumées, favoris et moustache. J'ai trouvé sa fiche sur un site de rencontres. C'est un joueur de guitare professionnel qui a déjà fait partie du groupe « La mascotte et les biscottes ». Mascotte ! Trop *cool* !

Mon bleu en
forme de coeur
Namx♡x

Publié le 29 septembre à 16 h 32 par Nam
Humeur : Embêtée

> **Arrière-train douloureux**

Quand j'ai pris ma douche ce matin, j'ai aperçu un super gros bleu sur ma fesse droite. Probablement quand je suis tombée hier. Tout cela pour dire que l'ecchymose a la forme d'un cœur. Ohhh ! Trop *cute* ! C'est un signe, c'est clair.

(Bon, ce n'est peut-être pas tout à fait un cœur. Plutôt une patate. Mais avec de la volonté et si je me regarde dans un miroir la tête croche, ça ressemble à un cœur, donc ça compte.)

J'ai passé la journée assise sur une fesse, penchée comme la tour de Pise.

(...)

Ce matin, à l'arrêt d'autobus, j'ai demandé à Kim :

- Est-ce vrai que Michaël t'a vue ?

- Pas Michaël. Mais Sapin Poussin, oui.

- Fabien Poussin.

- Ouais, lui.

- Mais parce que t'étais déguisée en vert et que tu portais des lunettes fumées, il ne pourra jamais te reconnaître.

- Exact.

Ça m'a *full* rassurée.

(...)

C'est la folie à l'école pour le *party* de Jimmy demain. Il y a maintenant un marché de revente des billets pour entrer. Michaël, qui n'en a pas eu, m'a dit qu'un de ses amis pouvait en avoir un pour vingt-cinq dollars. C'est fou, si ça continue comme ça, demain, à la fin des cours, le laissez-passer qui est sur l'étagère de mon casier va valoir au moins un million de dollars.

Parlant du « cas Michaël », il ne s'est rendu compte de rien hier. J'ai essayé de le faire parler de son prof, ancien guitariste de « La mascotte et les biscottes ».

- T'es gentille, il m'a dit.

- Pourquoi ?

- Parce que tu t'intéresses à moi.

Je lui ai fait un sourire.

- C'est normal.

- Mon prof est vraiment *cool*. C'est un ancien guitariste professionnel. Il a fait partie d'un groupe dans les années 1980. Il a presque fait le tour du monde une fois.

- Presque ?

- Ouais. Leur avion s'est écrasé.

- Quoi ?

- Ouais. Dans l'Atlantique. Et Fabien a vécu genre deux semaines sur un banc de l'avion. Il a flotté. Il s'est battu avec des requins et il a nagé jusqu'à New York. Il m'a dit que la peau de ses orteils était tellement ratatinée quand il est sorti de l'eau qu'il a été arrêté par la police sous prétexte qu'il ressemblait à une espèce de monstre des mers.

J'ai attendu quelques instants pour voir s'il blaguait. Il semblait sérieux.

- OK, Michaël, tu crois ce qu'il t'a dit ?

- Ouais. Tout est vrai. Il a même pris des photos.

- Tu les as vues ?

- Nan, son appareil n'était pas à l'épreuve de l'eau.

Encore quelques secondes de silence, question de voir si Michaël n'essayait pas de me faire avaler ce baril de mensonges.

- Évidemment qu'il n'était pas à l'épreuve de l'eau, j'ai murmuré.

- Il a passé les années 1990 en prison où il a inventé Internet et réalisé le film *Titanic* à distance. Quand il est sorti, il était multimillionnaire. Il a donné tout son argent à Bubble.

- Qui ?

- Bubble. Le singe de Michael Jackson.

- OOOKKK... Pourquoi il aurait fait ça ?

- Parce que le *cash,* ça ne l'intéresse pas.

- Euh, Michaël, est-ce que tu crois vraiment à toutes ses péripéties ?

La réponse qu'il allait donner allait consolider ou détruire complètement l'amour que j'avais pour lui.

- Nan, pas du tout. Il hallucine complètement. Mais il est divertissant. Par exemple, hier soir, pendant que je jouais, il a eu la vision d'une Chinoise avec des lunettes fumées déguisée en plante qui nous espionnait. Pété, hein ?

- Ouais, pété.

Fallait que je trouve quelque chose à dire.

- Et, euh, ta blonde ?

Première fois que je lui en parlais. Malaise.

- Quoi, ma blonde ?

- Eh bien, elle suit des cours avec toi, non ?

Il a levé les mains.

- Je ne veux pas de crise de jalousie, d'accord ?

- Non, mais est-ce que ça la dérange que tu sois toujours avec moi ?

- Ouais. Elle est extra jalouse. Je ne lui parle plus de toi.

- D'accord. Elle ressemble à quoi ?

La cloche a sonné. Il ne restait plus que deux minutes avant le retour en classe.

- Pourquoi tu veux la voir ?

- Je suis curieuse.

- Ouais, me semble. Tu veux te comparer avec elle.

Touché !

- Non, voyons, c'est ridicule. Je suis juste... intriguée.

Il a couru vers sa classe, un étage plus bas.

Elle existe ou non, cette Mylène ?

Souper *time*.

Publié le 29 septembre à 21 h 12 par Nam
Humeur : Écœurée

> C'est pas normal !

Avant de sortir de l'école ce soir, je suis passée au secrétariat pour voir si Monsieur M. ne m'avait pas laissé les résultats des élections par niveau. La secrétaire m'a remis une enveloppe. Comme j'étais pressée, je l'ai mise dans mon sac et je l'ai oubliée. C'est juste quand j'ai ouvert mon sac après le souper que je m'en suis souvenue.

Quelque chose cloche. La personne qui m'a écrit par le biais du blogue de Kim a raison.

Voici les résultats :

Secondaire 1

Kim : 55 Jimmy : 362

Secondaire 2

Kim : 461 Jimmy : 12

Secondaire 3

Kim : 256 Jimmy : 126

Secondaire 4

Kim : 231 Jimmy : 132

Secondaire 5

Kim : 22 Jimmy : 395

Total

Kim : 1025

Jimmy : 1027

Kim a mené largement chez les secondaires 2, 3 et 4. Secondaires 1 et 5, c'est la catastrophe. Secondaire 5, je peux comprendre. Jimmy est populaire et les élèves peuvent croire qu'une petite de secondaire 2 ne peut pas faire le travail.

Mais secondaire 1 ? Un total de 362 pour Jimmy contre 55 pour Kim ? Ça n'a aucun sens. Avant l'élection, on a fait un sondage et personne ne voulait voter pour Jimmy. Parce que c'étaient surtout des crétins de sa bande qui les avaient initiés.

Ça cloche. Je dois trouver qui s'est occupé des boîtes de bulletins.

Jimmy a triché. J'en suis de plus en plus convaincue.

(…)

J'ai croisé Marguerite, notre *coach*, dans le corridor cet après-midi. Il va falloir qu'on fasse du recrutement pour l'équipe d'impro, personne ne s'est présenté pour en faire partie. En fait, il y a bien eu une personne, mais elle croyait que c'était une activité sur « l'insonorisation ».

Rapport ? ! Ça intéresse vraiment un élève, l'insonorisation ?

Faut se grouiller parce que si on veut que l'équipe soit inscrite dans la ligue interécole, on a besoin d'au moins cinq joueurs plus un de remplacement. Il en manque donc trois.

(…)

À la fin du cours de français, monsieur Patrick m'a dit qu'il avait à me parler demain. Sans me dire ce qu'il me veut. C'est mon poème sur la divine margarine, c'est sûr. Il ne l'a pas aimé et il pense que j'ai voulu rire de lui.

J'espère que ça ne va pas m'empêcher de dormir.

Les fraudeurs
doivent être punis
Namxox

Publié le 30 septembre à 1 h 17 par Nam
Humeur : Préoccupée

> **Le retour de l'insomniaque**

Eh oui, je ne dors pas. Je tourne en rond dans mon lit depuis que je suis couchée. J'ai pensé à monsieur Patrick, à mon poème, puis au « cas Michaël » (il va la prendre quand, sa décision ?) et au têtard gluant de Jimmy.

Je le déteste, ce gars-là. Au plus haut point. Je n'ai jamais haï quelqu'un comme ça. S'il a triché comme je le pense, c'est dégoûtant. Il mériterait la torture. Genre, être forcé à porter des vêtements usagés. Ou à manger du poulet cru. Ou à mettre sa langue pendant plusieurs minutes sur une pile neuf volts. Quelque chose pour qu'il réalise que même avec tout l'argent du monde, on ne peut pas tromper les autres aussi facilement.

La vie est dure. On perd souvent, mais on gagne aussi des fois. Il faut le faire de manière LOYALE. Pas en trichant. Il m'écœure !

C'est grave, je me réveille même la nuit pour le haïr !

Je suis peut-être trop zélée. Peut-être qu'il faudrait que je lâche prise, que j'arrête de penser à lui. Kim et Nath sont passées à autre chose, elles n'en parlent plus. Pas moi. Je n'y arrive pas.

J'ai toujours été comme ça. Obstinée. Quand je veux quelque chose, je peux être assez coriace. C'est une qualité, la persévérance. Mais où ça doit s'arrêter ? Est-ce que le jour de mon mariage (si j'arrive enfin à rencontrer l'amour !), je vais encore lui en vouloir ? !

Je me fais penser un peu à Youki. Quand je tiens un os, je ne le lâche pas. Je peux achaler mes parents longtemps si je veux vraiment quelque chose. Le pire, c'est que ça marche 90 fois sur 100 !

Peut-être que si je n'avais aucun indice sur la vacherie de Jimmy, je serais moins en colère.

Je dois trouver des preuves en béton. Il le FAUT !

(...)

Biz ! J'étais en train d'écrire ce billet et j'ai vu quelque chose bouger sur le toit de la maison de Kim. Je pensais que c'était un chat... Non, c'était un être humain ! J'étais sûre que c'était un voleur ! J'ai fermé la lumière de ma chambre et rabattu l'écran du portable, puis je me suis approchée de la fenêtre. L'homme était habillé en noir. Et il portait un genre de masque sur son visage. J'ai eu peur !

J'ai couru pour aller réveiller Pop. Il a enfilé sa robe de chambre et il est entré dans ma chambre.

- Il est où ? il a demandé, la voix rauque, les yeux tout petits.

- Il était là, sur le toit, devant moi.

- T'es sûre que tu n'as pas rêvé ?

- Non, non. J'étais bien réveillée.

- Je vais aller voir à l'extérieur, il a fait.

- Non ! Appelle la police !

- Voyons, Namasté.

Mon père... Comme si demander de l'aide était une preuve de faiblesse ! Quand il a quelque chose dans la tête, il ne l'a pas dans les pieds. Tiens, tiens, il me ressemble un peu...

Il est sorti. Non sans apporter avec lui un bâton de base-ball. Quelques instants plus tard, il revenait. Avec le voleur... qui était Fred !

Pop n'était pas content.

- Tu peux me dire ce que tu faisais sur le toit des voisins ? Et à cette heure !

- Je n'étais pas sur le toit, il a grommelé.

Fred m'a fait de gros yeux quand Pop ne le regardait pas.

- Et habillé tout en noir, en plus, avec un vieux bas culotte de ta mère sur la tête ! T'es malade ! On habite sur une base militaire, je te le rappelle. La plupart des soldats sont armés. Et ils sont entraînés pour tuer !

Commentaire de la mort de mon frère :

- Mmmrrreuhgreuh...

- Va te coucher. Et la prochaine fois que tu agis comme ça, je vais te replacer les idées et avec un bâton s'il le faut. T'as compris ?

- Mouais, a grogné Fred.

- Maintenant, allez vous coucher.

Avant d'entrer dans ma chambre, Fred m'a dit, les dents serrées :

- Merci, Nam. Vraiment. Ça m'apprendra à t'aider.

- Fred, comment je pouvais savoir que c'était toi ?

- T'aurais dû y penser.

- Penser que c'était toi sur le toit de la maison de Kim ? Qu'est-ce que tu faisais là ?

- C'est mon entraînement de *parkour*.

- OK, et les bas collants de Mom sur ta tête, c'était nécessaire ? C'est trop *weird*.

- Laisse faire.

- Habituellement, il faut porter le collant complètement sur la tête. Là, t'as fait un trou pour laisser passer tes yeux, ton nez, ta bouche et tes oreilles. Avec les deux jambes qui pendent sur le bord de ta tête, t'as l'air d'un lapin sorti d'un cauchemar.

- Ouais, eh bien, je n'aimais pas la sensation.

Et il est disparu dans sa chambre.

Franchement ! Il est fru alors qu'il devrait me remercier de lui avoir sauvé la vie !

Les gars, je ne les comprendrai jamais.

Ensorcelée
Namxox

Publié le 30 septembre à 16 h 23 par Nam
Humeur : Aventureuse

> Une idée folle

Journée assez plate à l'école. Rien à noter de spectaculaire, sauf que je me suis mis du *gloss* ce matin et parce qu'il y avait du vent, mes cheveux sont restés coincés dedans. Et je ne savais pas s'il fallait que je sois fâchée contre le vent, contre mes lèvres ou contre mes cheveux qui n'étaient pas au bon endroit. Ou les trois.

Oui, ma vie est une suite d'extraordinaires péripéties.

Mon réveille-matin a sonné vraiment trop tôt. J'ai appuyé très souvent sur *snooze*, de sorte que je me suis levée au dernier instant. Je crois que j'aurais dormi jusqu'à midi.

(Je viens de vérifier dans le dictionnaire et *snooze* signifie « somme ». Eh ben.)

(...)

Mon frère n'est plus fâché contre moi. Mais il m'en veut parce que j'ai parlé à Tintin des bas collants de Mom et de sa face de pet qui rendaient la situation encore plus absurde. Tintin se demande s'il pourrait partir une nouvelle mode.

Soit dit en passant, il va à l'école avec mon ancien casque de vélo rose princesse trop petit.

Il devait accompagner Fred dans ses péripéties nocturnes pour le filmer, mais il était trop vache, il a préféré dormir.

Il est sage, ce Tintin.

(...)

J'ai finalement parlé avec le beau monsieur Patrick qui sent si bon. Je m'attendais au pire ; je me suis trompée d'aplomb.

Il a lu mon poème devant toute la classe ! Certaines personnes ont ri, d'autres ne comprenaient pas trop ce qui se passait. Ensuite, il a déclaré :

- C'est de ça que je parlais quand je vous ai dit que je voulais être étonné. Plusieurs personnes dans la classe ont écrit de beaux textes avec des belles rimes, mais rien pour surprendre.

Il a posé le poème sur mon bureau.

- Vive la margarine !

J'étais gênée. J'ai pensé à me lever pour avouer à tout le monde que j'étais sous l'influence de drogues dures quand j'ai écrit le texte, mais bon, je ne voulais plus être le centre d'attraction.

Comme il me l'avait demandé, je suis allée à son bureau quand la cloche a sonné.

- Je travaille depuis l'année dernière à un projet et je me dis que ça pourrait t'intéresser.

J'ai levé les deux mains :

- Si c'est de sauter en parachute tout en appliquant du vernis sur mes ongles d'orteils, j'ai déjà essayé, ça ne fonctionne pas.

Monsieur Patrick s'est mis à rire.

- Non, c'est encore plus risqué, il a répondu.

- Alors c'est sûr que ça m'intéresse.

Il est redevenu sérieux.

- Attends avant de t'engager. J'ai besoin de quelqu'un de fiable.

- D'accord.

Il m'a alors expliqué que depuis le milieu de l'année dernière, il travaille sur un projet de journal étudiant pour l'école.

- Et comme rédactrice en chef, j'ai pensé à toi.

Je suis restée silencieuse.

- Je croyais que ça allait te faire plaisir.

Je suis sortie de ma torpeur.

- Wow. Non. Je suis super contente. Vraiment. Mais pourquoi, euh, moi ?

- Différentes raisons. Je vois que lorsque tu t'investis, tu le fais à fond. Et que tu écris bien. Et puis tu es différente des autres.

« Différente des autres » ? J'aurais dû lui demander si c'était une qualité.

- Les autres profs de français vont me donner une liste de noms d'élèves qui ont du potentiel. Faudra aussi trouver des photographes. Et je vais faire le montage.

- *Cool.*

- Très bien. J'ai demandé un budget à la direction. Je devrais avoir une réponse dans quelques semaines. Je t'en reparle.

Je suis sortie de la classe comme sur un nuage. J'étais super flattée. En plus, c'est monsieur Patrick qui me l'a demandé. 🙂 Comment refuser ?

Avec l'impro et le journal étudiant, est-ce que je vais avoir le temps d'aller à l'école ?!

Je me demande quand même si je saurais être rédactrice en chef. Est-ce que j'ai les qualifications requises ? Je ne voudrais surtout pas décevoir monsieur Patrick !

C'est son parfum qui m'a envoûtée...

(...)

Je me suis renseignée auprès de la secrétaire pour savoir qui était le scrutateur (c'est le mot qu'on utilise pour nommer la personne qui s'est occupée des boîtes de votes) pour le secondaire 1 et le secondaire 5. Elle doit le demander à Monsieur M. qui était, eh oui, en réunion.

(...)

Le sujet de conversation de la journée a évidemment été la fête que Jimmy organise ce soir. Des rumeurs folles ont commencé à circuler : il y aurait un feu d'artifice, un nain aurait été engagé pour servir de boule de quilles (il y a une allée dans sa maison !) et à minuit, on égorgerait un bœuf avant d'en boire le sang.

(OK, j'avoue, c'est moi qui ai inventé la dernière, pour voir si elle allait se répandre ; elle se répand...)

Kim a même vu certains des « invités » commencer à boire de l'alcool à l'école en prévision de la fête. 😔

Ils sont tellement cons, je n'en reviens pas.

Sauf que... Sauf que Kim, Nath et moi, pendant l'heure du dîner, on a commencé à délirer. On se demandait ce que ça ferait si on décidait d'y aller. Ce qu'on y verrait. Comment les gens réagiraient. Parce qu'il est clair que Jimmy nous a invitées uniquement pour nous ridiculiser une autre fois. Genre pour dire ensuite : « Vous n'êtes pas *game.* »

- Et si on y allait ? j'ai demandé. Ça m'intrigue.

- Pas question, a répondu Nath. Je ne mets pas les pieds là. De toute façon, ma mère ne voudrait jamais.

Nath a été profondément blessée par les procédés des esclaves de Jimmy et par ce qu'ils lui ont fait subir. Je la comprends. Ils ont visé là où ça fait vraiment mal. Et ils ont atteint leur cible.

Michaël est arrivé. Je lui ai dit, gentiment, qu'on avait une conversation « entre filles ». Il s'est excusé et est parti.

- Wow, tu fais des progrès ! m'a félicitée Nath.

- Peut-être, mais s'il préfère sa Mylène à moi, je vais t'en vouloir toute ma vie.

- Mais non, ça fonctionne. Depuis que tu as commencé à le rejeter, il te colle aux fesses, non ?

- Peut-être. Mais je me sens coupable chaque fois. Ce n'est pas le genre de relation amoureuse que j'envisageais. J'aurais bien aimé avoir quelque chose de plus romantique. Plus conte de fées.

- Bienvenue dans la vraie vie, s'est esclaffée Nath.

Qu'est-ce qu'elle connaît des relations amoureuses, celle-là ? Elle a quatorze ans comme moi !

Pas eu le temps de lui demander, la cloche a sonné.

Finalement, la journée n'aura pas été si plate.

On mange !

1 commentaire

****

Vous cherchez du parfum ? Arrêtez, vous avez trouvé ! Pour une fraction du prix, vous pouvez vous asperger des marques les plus connues, et ce, sans risque d'éruptions cutanées ni de modifications génétiques.

www.desparfumspaschers.com

****

Publié le 30 septembre à 19 h 01 par Nam
Humeur : Intrépide

> Et si...

C'est décidé, je vais à la fête que Jimmy organise. Je veux lui prouver que je ne suis pas une peureuse. Qu'il ne m'impressionne pas. Je veux lui montrer que je ne suis pas aussi faible qu'il le pense. Il peut essayer de m'intimider tant qu'il le veut, il n'y arrivera pas. Je suis une guerrière ! Bon, une ninja avec des lunettes et des broches, mais c'est pour faire encore plus peur à mes ennemis !

J'en ai parlé à Mom ce soir au souper et elle a hésité. Quand je lui ai dit que Kim allait m'accompagner, elle a décidé que c'était correct.

Problème n°1 : Kim n'est pas au courant !

Après avoir rempli le lave-vaisselle, je me suis précipitée sur l'ordi. Kim n'était pas en ligne. *Schnoute !* Pourvu qu'elle soit à la maison, me suis-je dit ! Sinon, euh, il aurait fallu que je déguise Tintin en Kim. Ou quelque chose du genre. D'une façon ou d'une autre, il aurait aimé ça.

Quand j'ai pris le téléphone, Fred est entré dans ma chambre.

- T'es folle d'aller là-bas, il m'a dit. Ce n'est pas ta place.

- Je vais juste aller faire un tour. Pour voir.

- Tu ne devrais pas, il a déclaré. Il se passe des affaires, des fois.

- Des affaires ? Quel genre d'affaires ?

- Des trucs pas catholiques.

- Pas grave, je ne crois pas en Dieu.

- Nam, arrête. Je ne blague pas. N'accepte jamais rien à boire, d'accord ? Pas même de l'eau.

- Voyons ! Je ne m'en vais pas faire un tour dans une piquerie, je m'en vais à une fête.

- Nam, fais-moi confiance. Ce sont des rapaces. Si t'es le moindrement vulnérable, ils vont sauter sur toi et te dévorer. J'ai entendu des choses horribles.

Je n'avais jamais vu mon frère aussi sévère.

- Voyons, Fred. T'exagères ! Et Kim va être avec moi.

- Je te dis juste d'être prudente, d'accord ? Et garde toujours un œil sur ton manteau. Tu pourrais te faire piquer ton portefeuille.

J'avais compris : si mon frère me donnait ce genre d'avertissements, c'est qu'il avait de bonnes raisons. Il ne m'en avait jamais fait auparavant, voilà pourquoi je les ai pris au sérieux.

- D'accord, j'ai dit. Merci. De toute façon, je ne resterai pas longtemps, juste voir à quoi ça ressemble, c'est tout.

Il est sorti de ma chambre.

Misère. En plus de mes parents qui me font la morale, voilà mon frère qui embarque dans la danse !

Problème n° 2 : j'ai appelé chez Kim et elle n'était pas chez elle. Sa mère m'a appris qu'elle était chez Nath.

Problème n° 3 : j'ai appelé chez Nath et elle n'était pas chez elle. Sa mère m'a appris que les deux tiers des

Moustiquaires étaient parties au cinéma. Sans m'inviter ! OK, *exit* la jalousie, c'est probablement une sortie en amoureuses... Pas de mes affaires, je sais, je sais.

Voilà. Je ne peux pas y aller.

C'est poche.

C'est vendredi soir, je suis seule. Je fais pitié. Tiens, je vais faire mes devoirs.

C'est une blague...

Publié le 30 septembre à 20 h 47 par Nam
Humeur : Pétulante (merci, dictionnaire des synonymes)

> Je fonce !

Pas de nouvelles de Kim ou de Nath. Tant pis. J'y vais quand même, je suis trop curieuse.

Go, Nam, *go* !

Armée jusqu'aux dents

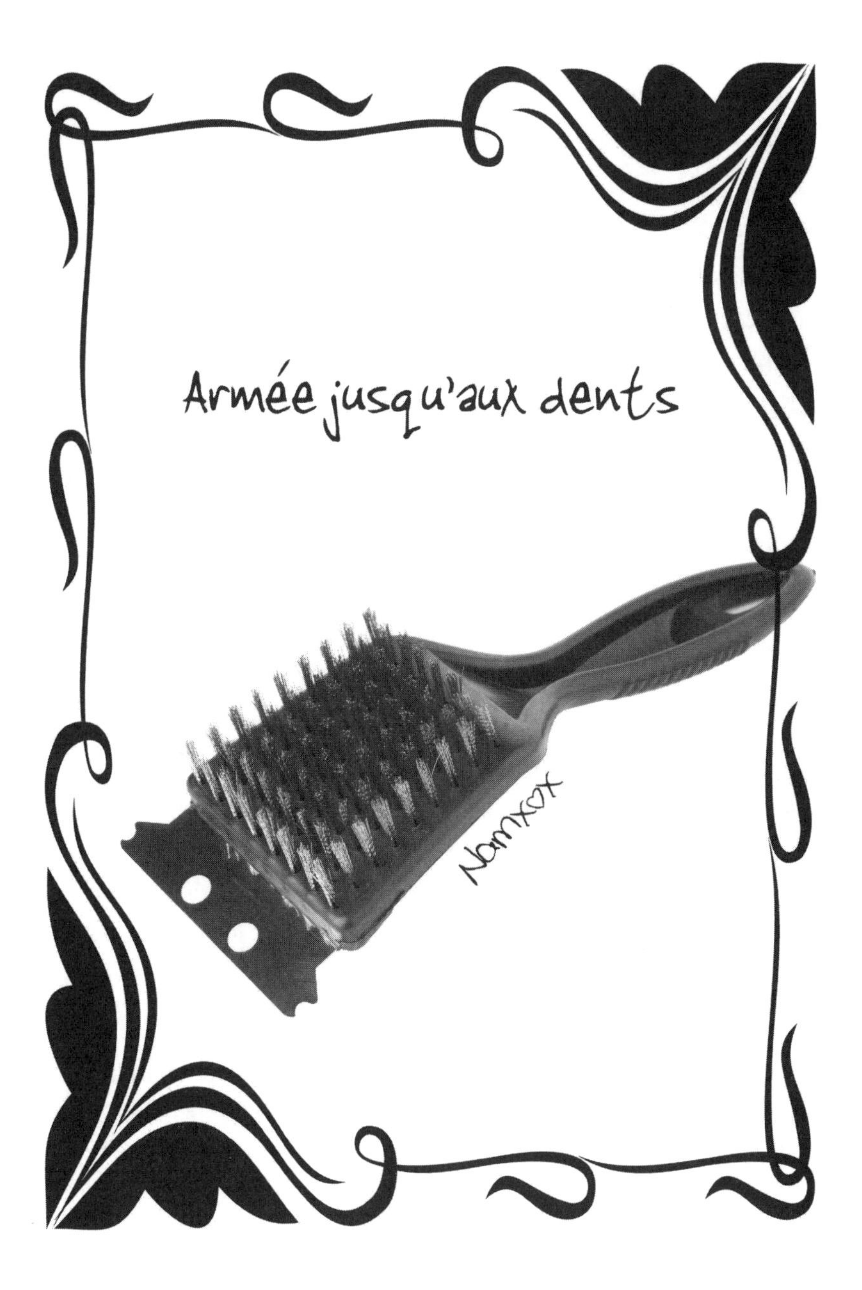

Publié le 1er octobre à 0 h 49 par Nam
Humeur : Troublée

> Je ne serai plus jamais la même !

Je suis dans mon lit depuis une demi-heure et je n'arrête pas de ressasser ce qui s'est passé au cours des dernières heures. Habituellement, m'exprimer dans mon blogue m'aide à mieux me sentir après. J'espère que ce sera encore le cas.

Même si Kim et Nath n'y étaient pas, j'ai décidé de me rendre à la fête. Par orgueil, mais aussi parce que ça m'intriguait beaucoup.

Je sais que j'avais dit à Mom que Kim allait venir avec moi, mais bon. Si elle me pose des questions, je lui dirai que je pensais qu'elle allait venir me rejoindre là-bas ou quelque chose du genre. De toute façon, je suis saine et sauve. Mon corps, en tout cas. Mes yeux et ce qu'ils ont vu, je me demande. Je suis traumatisée. Est-il possible de revenir en arrière et de « dévoir » ? Comme dans « défaire » et « déconnecter » ? Genre « dévoir » comme si je pouvais ne pas avoir vu ?

J'étais quand même assez excitée à l'idée d'y aller. Je ne sais trop pourquoi. Peut-être parce que c'était l'inconnu ? Parce que personne ne s'attendait à me voir dans ces lieux, y compris moi ? Mystère.

Je me suis maquillée un peu et j'ai mis une robe, la plus belle que j'ai dans ma garde-robe, la toute noire. J'ai demandé à Grand-Papi s'il pouvait venir me reconduire. Aucun problème.

J'ai pris avec moi le téléphone cellulaire familial, mon manteau et avant de mettre le pied dehors, j'ai pensé que si j'étais armée, il ne pourrait rien m'arriver. Je suis allée dans la cuisine. J'ai pensé à un couteau à steak, mais c'était trop dangereux. Finalement, parce que je ne voulais pas faire attendre Grand-Papi trop longtemps, je me suis emparée de la brosse à barbecue. Avec un long manche en plastique dur et, au bout, une brosse aux poils en métal. Je me suis dit qu'un coup au visage ne serait pas agréable. Je me suis exercée une minute ou deux devant le miroir. J'avais l'air complètement folle. Mais bon, c'était ça ou la spatule à boulettes de viande.

En m'exerçant, je me suis convaincue que personne ne voudrait combattre avec moi en voyant mon arme. Qui voudrait affronter une fille à lunettes avec une brosse à barbecue dans les mains ? Il serait clair que quelque chose ne tourne pas rond dans ma tête.

Je l'ai glissée dans la poche intérieure de mon manteau et je suis partie.

Quinze minutes plus tard, Grand-Papi m'a déposée devant la maison de Jimmy. J'ai regardé ma montre : il était 21 h 25.

- Si je ne t'appelle pas, tu viens me chercher à onze heures et demie, d'accord ?

Il est reparti. J'étais maintenant seule. Avec mon amie, la brosse à barbecue.

Tous les élèves de l'école ont, au moins une fois, jeté un œil sur la maison de Jimmy. On ne peut pas la manquer. Elle est gigantesque et vraiment belle. Genre en bois avec des grandes fenêtres teintées. Ceinturée d'une clôture en fer forgé hyper haute avec, au bout, des pointes acérées comme des lames de rasoir. Pour ajouter au mystère, une haie parfaitement taillée empêche de voir ce qu'il y a sur le terrain. Des animaux méchants pourraient s'y promener en permanence. Pas des chihuahuas féroces. Plutôt des tigres, des loups et des ours (OK, des chiens de garde !).

Ce qui est incroyable, c'est qu'un garçon qu'on côtoie tous les jours, un élève, puisse vivre dans ce château.

D'ailleurs, pourquoi est-il inscrit à une école publique ? Les enfants de riches, ils sont à l'école privée, non ? J'ai eu la réponse à ma question pendant la soirée : Jimmy a passé son secondaire 1 et une partie de son secondaire 2 dans une école privée. Puis il a été renvoyé. Pourquoi ? Aucune idée. Mais j'aimerais bien le savoir...

J'ai hésité quelques instants devant l'entrée. De la musique provenait de la maison et, assise sur les marches qui menaient à la porte d'entrée, une fille pleurait tandis qu'une de ses amies la réconfortait.

Qu'est-ce que je faisais là ? Ce n'était *tellement* pas ma place ! Comment dire ? J'avais l'impression d'être une muette qui s'apprête à chanter dans une chorale. Genre.

Finalement, je me suis dit que tant qu'à y être, pourquoi ne pas oser avancer ? Je rentre, j'observe et je sors. Point final. Ah oui, je n'oublie pas de toucher au nain qui sert de boule de quilles. Question de me prouver qu'il existe.

Ça ne s'est pas passé comme ça. Évidemment. Ça ne se passe jamais comme je le veux. La vie ne m'écoute jamais !

J'avais fait tout le trajet de la maison au « château », tenant le laissez-passer dans ma main moite. Avec l'humidité et à force de le serrer, il était devenu comme du papier mâché.

Pas grave, personne n'était à la porte pour surveiller. Je suis entrée.

La première chose que j'ai remarquée : il faisait une chaleur extrême. Il y avait même de la condensation sur les miroirs.

C'était noir de monde. Et parce que c'était peu éclairé, je n'arrivais pas à voir qui était là. Et la musique était affreusement forte (et nulle). Quand je suis sortie de là, mes oreilles bourdonnaient. Elles souffrent encore. Plus parce que la musique était poche que trop forte. Ils auraient tellement dû mettre des chansons des années 1980.

Le *party* avait lieu dans le salon, j'imagine. Immense. De la dimension de ma maison au grand complet. Avec des meubles en cuir et une télévision aussi grande qu'un écran de cinéma.

Jimmy a fait ça en grand, vraiment loin des soirées où le truc le plus *cool* est de jouer à la bouteille. Il y avait un DJ torse nu qui buvait dans un pot à plante, des méga haut-parleurs, des stroboscopes qui donnaient l'impression d'être saccadés et même une machine à faire de la fumée.

Est-ce que les gens dansaient ? Pas du tout. Ils étaient tous écrapoutis par terre ou sur les meubles, une bouteille ou un verre d'alcool à la main. Personne ne se parlait (c'était impossible, il y avait trop de bruit) et tout le monde regardait tout le monde se regarder. 😶

J'ai marché entre les gens, sans trop savoir où j'allais. J'ai reconnu quelques personnes de l'école, mais pas tant que ça. Il a fallu que je saute par-dessus un gars qui était couché sur le plancher, la bouche ouverte, les yeux fermés, un verre de bière renversé sur la tête. (Faudrait que je vérifie sur le Net, c'est peut-être une nouvelle méthode révolutionnaire pour renforcer la pointe des cheveux qui fourchent.)

J'ai marché pendant quelques minutes, comme si j'étais à la recherche de quelqu'un, pour ne pas montrer que je n'avais pas d'amis.

Parce que je suais comme si je venais de courir le marathon, j'ai retiré mon manteau. La brosse à barbecue est tombée, je l'ai vite ramassée et dissimulée sous mon manteau. Heureusement, personne n'a vu que j'étais armée et dangereuse.

Je suis finalement arrivée dans la pièce (!) où il y a une piscine intérieure, un sauna, un bain tourbillon et une douche. Quelques personnes barbotaient dans le bain tourbillon, mais pas dans la piscine. C'est alors qu'une main a tapoté mon épaule.

Schnoute, la pile de l'ordi est morte et je ne sais plus où j'ai mis le fil.

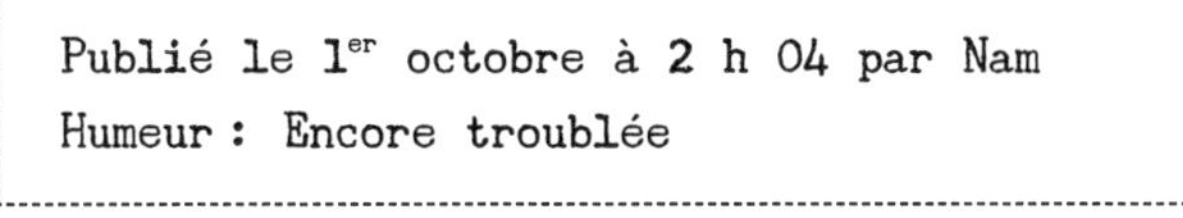
Publié le 1er octobre à 2 h 04 par Nam

Humeur : Encore troublée

> Je ne serai plus jamais la même, est-ce que je l'ai déjà dit ?

J'ai cherché le fil pendant dix minutes. J'étais assise dessus.

Où j'étais rendue ? Ah oui. Une main a tapoté mon épaule. C'était Mathieu, le gars de secondaire 5 qui fait partie de l'équipe d'impro avec moi ! J'étais tellement contente de rencontrer quelqu'un que je connaissais que je lui ai sauté dans les bras. J'ai dû coller ma bouche sur ses oreilles pour lui parler.

- Mathieu ! Qu'est-ce que tu fais ici ?

Il m'a montré sa bouteille de bière.

- Comme tout le monde : je bois. Toi ? il a hurlé.

J'ai regardé à gauche et à droite et j'ai soulevé mon manteau. Je lui ai montré la brosse à barbecue.

- Je suis en mission spéciale. Je cherche une grille à nettoyer.

Mathieu a froncé les sourcils.

- T'es biz.

J'ai regardé son t-shirt qui affichait encore un truc impossible : une licorne et un dauphin agressifs qui s'apprêtaient à se battre, dans l'espace.

J'ai répondu :

- Merci, c'est un compliment. J'adore tes t-shirts. Qui t'a invité ?

- Jimmy. C'est mon cousin.

- Ah oui ? Je ne savais pas.

Il a posé un doigt sur sa bouche.

- Mais c'est un secret.

- Pourquoi ?

- J'ai déjà mauvaise réputation, je ne voudrais pas que ça empire.

J'ai souri.

- Tu ne t'entends pas bien avec lui ?

- Bof. On ne se parle pas vraiment. C'est pas mon genre, mettons.

Je lui ai fait un clin d'œil.

- Moi non plus !

- Il m'a proposé de faire un peu de sécurité. Genre de m'assurer que personne n'arrache les portes, fasse pipi dans les pots de fleurs ou se promène dans la maison.

Une pause dans la conversation. Puis il m'a demandé :

- Et toi, tu fais quoi ici ?

- Jimmy m'a donné une invitation. Parce qu'on était contre lui aux élections.

- Je sais, j'ai voté pour Kim.

Je lui ai fait un sourire.

- Merci !

J'ai regardé la piscine.

- Personne ne se baigne ? Pourquoi ?

Il a approché sa bouche de mon oreille.

- Parce qu'un gars a vomi dedans tantôt.

- Merci de me le dire, j'allais sauter dedans. J'ai tellement chaud !

Les murs de la pièce où on était et où il y avait la piscine étaient des parois de verre. C'était plus agréable que dans le salon parce qu'il n'y avait pas de stroboscope. Il y avait aussi suffisamment de lumière pour voir ce qui nous entourait.

J'ai levé les yeux et j'ai vu que quelqu'un était couché sur le ventre, juste au-dessus de nous, sur le toit de verre. Le type avait les mains autour de ses yeux, comme pour observer ce qui se passait en dessous. Il avait un bandeau noir en maquillage autour des yeux.

J'allais pointer le doigt pour le montrer à Mathieu jusqu'à ce que je le reconnaisse... C'était mon frère !

J'ai baissé la tête rapidement et j'ai fait un grand sourire à Mathieu.

- Ça va ? il a demandé.

Il n'avait rien remarqué.

- Oui. Je reviens dans une minute.

Il a fait oui de la tête.

Rapidement, je me suis dirigée vers la sortie. Je suis allée dehors et j'ai fait le tour de la maison jusqu'à ce que je sois devant les parois de verre recouvrant la piscine. On ne voyait effectivement rien de ce qui se passait à l'intérieur.

- Fred, Fred ! j'ai crié et chuchoté en même temps.

Pas de réponse.

- Fred ! Descends de là, tout le monde te voit à l'intérieur !

Le visage de mon ortho de frère est apparu. Toujours avec le bas collant de Mom autour de la tête, les deux jambes de nylon lui pendant sur les côtés de la tête. Il avait l'air de porter un masque sur les yeux, mais l'œil droit n'était encerclé qu'à moitié. *NAWAK !*

- Chut ! Je ne suis pas Fred !

- Tout le monde te voit à l'intérieur ! Descends !

- Quoi ?

- À l'intérieur, tout le monde peut te voir !

- Oh, merde !

Il s'est relevé, a couru dans l'autre sens et a sauté dans un buisson. En fait, c'est comme s'il avait trébuché. Ouch !

Je suis allée le voir. Il tentait de s'en sortir par lui-même.

- Ça va ?

- Ouais, ouais.

Il m'a tendu la main. J'ai tiré, mais le maudit bas collant était accroché à une branche. Fred n'était plus dans le buisson, mais le bas collant y était encore coincé. Les jambes mesuraient, genre, cinq mètres.

Finalement, le bas a déchiré.

- Qu'est-ce que tu fais là ? je lui ai demandé.

Sa chute lui avait causé une belle éraflure sur la joue. Il saignait.

- Je voulais m'assurer que tout allait bien.

- Mais qu'est-ce que t'as mis autour de tes yeux pour faire le masque ? C'est du maquillage ?

- Non, un marqueur noir.

- Un marqueur ? Il va falloir te démaquiller avec de l'eau de Javel ! Et pourquoi juste un œil ? Pourquoi pas les deux ?

- Parce que le marqueur ne fonctionnait plus.

- Fred... Tu n'as aucun bon sens. Tout va bien, tu peux t'en aller. J'ai rencontré un ami à moi, en dedans. Et j'ai une brosse à barbecue pour me défendre.

Fred a ri en pensant que je blaguais.

- D'accord. Je vais quand même rester aux alentours. Au cas où.

Je suis retournée en dedans.

C'est là que ça a commencé à brasser.

Je continue demain. Mes yeux se ferment tout seuls.

Zzz.

2 commentaires

****

Découvrez la vérité ! Une multitude d'objets
autour de vous peuvent vous donner le cancer.
Le grille-pain, le four à micro-ondes,
le barbecue et même votre dentifrice !

****

****

Achetez maintenant le révolutionnaire

Cancer Detector et débarrassez-vous

des ondes cancérigènes !

www.cancerdetector.com

****

Publié le 1er octobre à 11 h 51 par Nam
Humeur : Amochée

> Je ne serai plus jamais la même, je l'ai-tu dit ?

Les zozos derrière les publicités qui polluent mon blogue savent-ils que personne ne me lit ? J'ai beau essayer d'éliminer ces violations de mon intimité, elles reviennent toujours, comme les moustiques l'été. Tu dépenses plein d'énergie à en tuer un et quelques instants plus tard, une armée d'insectes piqueurs apparaît, tous aussi affamés que le premier. C'est sans fin.

(...)

Je me suis levée à onze heures ce matin. C'est mon petit chien d'amooour qui m'a réveillée en me mordillant les orteils. Il avait faim.

C'est étrange. Ce que j'ai vécu hier m'apparaît comme un rêve. C'est tellement différent de ma vie de tous les jours !

OK, après avoir averti Fred que tout le monde pouvait le voir déguisé en lapin maladroit venu directement des enfers, je suis retournée auprès de Mathieu. Rien n'avait changé, la musique était aussi forte et nulle, les stroboscopes s'excitaient et ça sentait drôle. Comme de l'encens, mais qui pue vraiment.

Mathieu n'avait pas bougé.

- Je ne pensais pas que t'allais revenir, il m'a dit.

- Ah non ? Pourquoi ?

- Parce que chaque fois qu'une fille me dit qu'elle va s'absenter deux minutes, elle ne revient pas.

Je lui ai fait un clin d'œil coquin.

- Eh bien, je ne suis pas comme les autres filles.

- Ouais, il a acquiescé en prenant une gorgée de bière.

Puis il m'a tendu la bouteille.

- T'en veux ?

ALERTE ! ALERTE ! ALERTE ! NE RIEN ACCEPTER À BOIRE.

- Non, ça va, j'essaie d'arrêter.

- Ouais, moi aussi, mais c'est dur.

J'ignorais si c'était une blague ou non.

- Ça sent quoi ? j'ai demandé.

- La drogue.

- Vraiment ?

- Ouais.

- Ça pue !

Il a esquissé un sourire.

Un gars à côté de moi s'est déshabillé. Juste en *boxer*, il a fait une bombe dans l'eau. Mathieu et moi avons été éclaboussés. Dégueu !

Trois autres gars l'ont suivi.

Mathieu et moi, on s'est tassés.

- Ils ne savent pas que quelqu'un a vomi là-dedans ?

- S'en foutent, sont trop saouls.

Il a calé le contenu de sa bouteille, l'a posée sur une table et m'a fait signe de le suivre.

- Viens, je vais te faire visiter la maison.

Je l'ai suivi.

- On a le droit ?

- Ben oui. C'est moi qui fais la sécurité ! Je suis supposé aller faire un tour une fois de temps en temps, pour m'assurer qu'il ne se passe rien d'anormal.

Se retrouver loin de la musique, de la chaleur et de l'odeur nauséabonde m'a fait du bien. Mathieu a ouvert quelques portes, on a emprunté des corridors et on s'est retrouvés dans la cuisine.

- Wow ! j'ai dit.

Jimmy est peut-être un crétin fini, mais je dois avouer que la personne qui s'est occupée de la décoration de sa maison est géniale. Il n'y a aucun rapport entre les deux, je sais. Mais ma tête en a fait un.

- C'est tellement beau.

Tous les appareils électroménagers sont en acier brossé. Il y a deux fours et le réfrigérateur est quatre fois plus grand que celui que nous avons chez nous. Le plancher est en marbre. Je peux me voir dedans.

J'ai passé ma main sur la table en bois foncé parfaitement cirée. Je me suis assise sur une des dix chaises. Ce ne sont pas des chaises, ce sont des trônes !

- C'est incroyable. On dirait que je suis dans un film.

Mathieu m'a regardée avec un sourire en coin.

- On s'habitue.

- Tu habites ici ?

- Non, pas du tout. Je vis avec ma mère et mon frère dans un appartement. Faudrait vraiment me payer cher pour que je dorme dans cette maison. Je préférerais dormir dans une crypte.

- Pourquoi ?

- Mauvaises vibrations. Jimmy n'a jamais pu garder un animal de compagnie.

- C'est quoi le rapport ?

- Ils sont tous morts d'une maladie mystérieuse.

- Il les a tués ?

- Nan. Ce sont les vibrations de la maison qui les ont tués.

- Comment c'est possible ?

- Aucune idée. C'est ma mère qui dit ça depuis toujours. Jimmy a eu deux chiens, trois chats, une tortue, des perruches et un hamster. Tous morts moins de trois mois après leur arrivée.

- Bizarre !

- Ouais. Et mon oncle, le père de Jimmy. En parfaite forme. Il passait des tests tous les ans. Jamais fumé, jamais bu. Stressé, c'est sûr, mais qui ne l'est pas ? En plus, il avait une entreprise et cinq cents employés pour la faire rouler. Paf ! Son cœur a explosé.

- *Schnoute !*

- Ouais. Il n'avait même pas cinquante ans. Et ma tante est folle. La folie, ça traîne dans la famille. Dans tout ça, c'est Jimmy qui s'en sort le mieux.

J'ai continué à examiner la cuisine. C'était incroyablement beau, mais une chose me chicotait et je viens de découvrir ce que c'est : manque de vie. On aurait dit une page de magazine de décoration.

Derrière moi trônait une sorte d'énorme abri en pierres.

- C'est quoi, ça ? La niche du chien ?

- C'est un four à pain.

- Pas vrai !

- Ouais. Mais il n'y a jamais de pain qui a cuit dedans. Ils l'utilisent comme un foyer.

Je me suis approchée. J'ai regardé à l'intérieur : ça ressemblait un peu à un igloo, mais en pierres. Il y avait un tas de cendres. Et dans le tas de cendre, j'ai remarqué des bouts de papier, des roses et des bleus à moitié consumés. De forme rectangulaire.

Ce ne pouvait pas être ça !

J'ai plongé ma main dans le four pour les récupérer.

- Qu'est-ce qui se passe ? m'a demandé Mathieu.

Je n'en reviens toujours pas : c'étaient des bulletins de vote ! Chaque niveau avait sa couleur : vert pour le secondaire 2, jaune pour le secondaire 3, mauve pour le secondaire 4... Rose pour le secondaire 1 et bleu pour le secondaire 5 !

Je les ai montrés à Mathieu. J'avais les mains qui tremblaient.

- Ce sont des bulletins de vote !

- Ah oui ?

Je ne m'étais pas trompée. Sur la partie restante, il y avait la fin du nom de Kim et de Jimmy et des cases à cocher. Sur tous les bulletins de vote (j'en ai récupéré douze, trois bleus et neuf roses), la case à côté du nom de Kim avait été cochée.

- Qu'est-ce que ça fait là ? a demandé Mathieu.

- J'aimerais bien le savoir.

- Faudrait poser la question à Jimmy.

J'ai mis la main sur son bras. J'ai serré un peu fort.

- Non ! j'ai dit. Non, ne fais pas ça.

- D'ac. Je ne veux pas que tu fasses une crise cardiaque.

J'ai effectivement réagi trop fort.

- Désolée. C'est juste que j'aimerais que ça reste entre toi et moi. D'accord ?

- Ouais, si tu veux.

- Merci.

J'ai glissé les morceaux de papier dans ma poche.

Ils sont devant moi au moment où j'écris ces mots. Je dois appeler Kim. Je veux lui en parler.

Mais avant, je vais terminer le récit de ma soirée.

C'est là que le traumatisme arrive.

(...)

Bon, Kim est en ligne. Il faut que je lui écrive.

Drôle de
terrain de jeu !
Namxox

Publié le 1er octobre à 13 h 28 par Nam
Humeur : Ramollie

> Pourquoi je ne suis plus comme avant, la suite

Je viens d'avoir un doute. Je ne sais pas quel est le lien entre Mathieu et son cousin. Est-ce que Mathieu mentait en disant qu'ils ne se parlaient pas vraiment ? Ou au contraire, sont-ils amis ? Genre, dès que quelque chose de nouveau leur arrive, ils s'appellent et s'en parlent pendant des heures. Et pour se faire plaisir, se font cuire des biscuits de différentes formes et les mangent avec un verre de lait en regardant une comédie romantique ?

J'ai peur qu'il ait mis Jimmy au courant. Je l'imagine alors qu'il lui dit : « Tu peux garder un secret ? Eh bien hier soir, Nam a fouillé dans ton four à pain et a fait une découverte étonnante. Mais parce qu'elle était armée d'une brosse à barbecue, je n'ai pas osé intervenir. »

Hum...

Il est mystérieux, ce Mathieu. Ténébreux, je dirais. Dans le sens qu'il n'est pas expressif. On ne sait pas trop si ce qu'il dit correspond à ce qu'il pense. Il ne parle pas pour rien dire. Tellement pas comme moi !

(...)

J'ai voulu parler à Kim, mais elle n'avait pas le temps, elle s'en va chez Nath pour travailler sur le projet de groupe d'entraide. Je lui ai demandé si je pouvais me joindre à elles.

♥Kim-la-pas-fine♥ :

Non, pas vraiment.

Namasté-la-sucrée :

Ah...

♥Kim-la-pas-fine♥ :

Ne le prends pas mal, Nam. C'est juste que je voudrais être seule avec Nath. Tu comprends ?

Namasté-la-sucrée :

Un peu.

♥Kim-la-pas-fine♥ :

C'est que c'est ma blonde.

Namasté-la-sucrée :

Vraiment ? Félicitations !

♥Kim-la-pas-fine♥ :

Merci. Alors c'est juste qu'on veut avoir du temps ensemble.

Namasté-la-sucrée :

OK, OK. Je comprends.

Je ne veux pas m'imposer. Je suis contente pour Kim. Vraiment. Et pour Nath aussi, bien entendue. Je vais sûrement voir moins souvent ma meilleure amie. C'est dommage, mais c'est comme ça.

Je ne pensais jamais qu'elle allait être en couple avant moi !

Il attend quoi, Michaël, pour me faire la grande demande ? Combien de temps faudra-t-il que je continue à jouer à l'indépendante ? Je veux qu'il se mette à genoux devant moi, qu'il m'offre une bague avec un super gros diamant dessus (le plus gros du monde !) et qu'il me dise qu'il m'aime. Qu'est-ce qu'il y a de si compliqué à déclarer son amour ? Je ne demande même pas qu'il soit déguisé en chevalier et assis sur un cheval ailé.

Est-ce que je suis si exigeante ?

Je vais aller faire un tour à la biblio cet après-midi. Lire des magazines et écrire des graffitis heureux dans les toilettes (« J'aime lire », « La vie est belle » ou « Même quand il pleut, le soleil me tend la main »).

Mais avant, je vais tout de même terminer mon histoire.

Les précieux morceaux de papier dans ma poche, j'ai continué à faire le tour du propriétaire, guidée par Mathieu. Ils sont deux à habiter là-dedans et il y a... neuf chambres ! Et sur les neuf chambres, quatre avec salle de bains privée.

Il y avait peu ou pas de lumière dans les pièces. Au loin, la musique continuait à déverser son insipidité.

- Tiens ma main, m'a dit Mathieu. Je vais te guider.

Ce que j'ai fait. Elle était chaude et douce. Sa personne dégageait une odeur de bière et de menthe (la gomme qu'il avait dans la bouche).

- C'est une ancienne maison funéraire, le savais-tu ?

- Pas vrai ?

- Ouais. Jusqu'au milieu des années 1970. Il y a même une des chambres avec encore un cercueil dedans.

- Arrête de niaiser.

- Je ne te niaise pas. Tu veux le voir ?

C'était comme si ma colonne vertébrale s'était instantanément gelée. J'ai eu la chair de poule.

Puis je me suis dit que Mathieu était peut-être un psychopathe comme dans les films d'horreur que je regarde (trop ?). Peut-être qu'il allait m'entraîner dans un coin de la maison pour m'assassiner ? Ou pour me violer ! Je tenais la brosse à barbecue tellement fort ! J'en avais mal à la main.

- As-tu peur, Nam ?

J'ai répondu sèchement :

- Non.

C'était un long corridor avec un tapis super épais. De chaque côté, des portes.

- Quand j'étais plus jeune, Jimmy et moi on se faisait des peurs avec le cercueil. Parce qu'il était fermé, on se disait qu'il y avait quelqu'un dedans qui se levait la nuit pour se promener dans la maison.

Ça commençait à ressembler à un film d'horreur. Un vrai. Et j'étais la pauvre victime !

Il s'est arrêté.

- Tu veux le voir, ce cercueil ?

Au lieu de dire NON comme j'en avais envie, j'ai répliqué, l'air indifférent :

- Ça ne me dérange pas.

Tellement menteuse ! Ah ! Ah ! J'étais sur le point de me mettre à hurler.

Il a lentement ouvert la porte. Bien entendu, la porte a grincé. La seule de la maison qui n'avait pas été huilée depuis une éternité.

- Merde, a dit Mathieu. L'ampoule est brûlée.

Il a fouillé dans ses poches et en a tiré un briquet en argent. Il l'a allumé. La flamme a éclairé les lieux.

Il disait vrai ! Il y a bel et bien un cercueil dans la maison de Jimmy ! Je me suis serrée contre lui.

Le cercueil était le seul meuble de la pièce, si on peut appeler ça un meuble. Noir avec des poignées en or. Il reposait sur ce qui ressemblait à une commode, recouverte d'une bonne couche de poussière. L'air de la pièce était difficilement respirable.

Mathieu s'est dirigé vers le cercueil.

- Ça fait une éternité que personne n'est entré ici.

Comme un robot, j'ai dit :

- OK, là, c'est trop biz.

- Bof. On s'habitue.

Et il a ricané.

Il a soulevé une moitié du couvercle. L'intérieur était recouvert de velours rouge. Et... quelqu'un était couché dedans !

Pas été capable de me retenir : je me suis agrippée à lui et j'ai crié comme un putois.

- Arrête, a dit Mathieu. C'est un mannequin.

Je me suis tue. C'était vrai, c'en était un.

J'ai mis une main sur mon cœur qui se prenait pour un kangourou hyperactif.

- J'ai jamais eu aussi peur de toute ma vie ! Mais qu'est-ce qu'un mannequin fait là-dedans ? J'ai jamais vu quelque chose d'aussi horrifiant.

- Pas moi. J'ai déjà vu ma grand-mère nue.

- Arrête, tu vas me faire mourir. J'ai eu assez de frayeurs pour ce soir.

Il a posé la main sur le front du mannequin, qui était semblable à ceux qu'on voit dans les grands magasins, avec seulement quelques traits pour le visage. Mais il était recouvert de fissures. Et quelqu'un lui avait dessiné des yeux grands ouverts, des sourcils noirs et avait appliqué du rouge à lèvres noir. Il représentait une femme. La flamme du briquet qui ondoyait donnait l'impression, avec les effets d'ombre, que son visage bougeait.

C'était effrayant.

- Madame Plastique, je te présente Namasté. Namasté, Madame Plastique.

Je n'ai rien dit. C'était de plus en plus étrange.

- Désolé, Madame Plastique. Cela doit faire huit ou neuf ans qu'on ne s'est pas vus. La dernière fois, je n'avais pas de poils en dessous des bras. C'est dommage, mais Jimmy et moi, on n'est plus amis comme avant. Et j'ai d'autres priorités. Mais je vois que tu n'as pas pris une ride.

Il a tourné la tête vers moi.

- On a passé du bon temps, tous les deux.

- OK, Mathieu. Ce n'est pas *cool*. Arrête ton petit jeu.

- Madame Plastique fait partie de ma vie.

Fallait qu'il décroche de son amie d'enfance.

- Tu sais pourquoi il y a encore un cercueil ici ?

- Mon oncle disait qu'on l'avait oublié dans le déménagement.

J'ai observé la tête blanche du mannequin et j'ai demandé :

- Tu sais... Tu sais s'il y a déjà eu des morts dans ce cercueil ?

- Bah, ouais. On le louait aux familles, pour l'exposition. Il y a sûrement des centaines de cadavres qui ont passé dedans. Tu t'es déjà couchée dans un cercueil ?

J'ai froncé les sourcils.

- Non ! C'est pas le genre de truc qui me branche.

- J'ai déjà dormi une nuit complète dedans.

- C'est vrai ?

- Ouais. On avait enlevé le mannequin. Jimmy m'a demandé si j'avais peur de me coucher dedans. Une fois que j'ai été dedans, il a refermé le couvercle et il est parti. Ce n'est pas d'hier que c'est un vilain.

- Tes parents ne t'ont pas cherché ?

- J'ai pas de père.

- Oh, OK. Alors ta mère ?

- Nan. Je me faisais garder ici. Je ne sais pas où était mon oncle, et ma tante était complètement saoule. Genre, elle tombait endormie sur le canapé à quatre heures de l'après-midi.

- J'ai aussi une tante alcoolique. C'est moche.

- Ouais. En tout cas, il est venu me libérer le lendemain. Je me rappelle juste que j'avais une furieuse envie de pipi.

- T'es mon héros. Moi, je serais devenue folle.

Bon. J'arrête pour cet après-midi. Je veux avoir le temps d'aller à la biblio. Elle ferme à cinq heures.

La suite, encore plus bizarre, plus tard.

Publié le 1er octobre à 17 h 52 par Nam
Humeur : Gaie

> Drôle de coïncidence

J'aime aller à la bibliothèque municipale. Pour les livres, c'est sûr, mais surtout pour lire les magazines. Je m'assois dans un des gros fauteuils et je les feuillette les uns après les autres. Mais attention, je ne veux rien savoir des nouveaux magazines ; non, ils m'ennuient. Des activités d'artisanat, des trucs pour maigrir ou des témoignages de pauvres madames qui ont des verrues, ça m'endort. Je vais plutôt dans les archives de la bibliothèque et je trouve les vieux numéros. Les très vieux, genre publiés cinquante ans avant ma naissance. C'est là-dedans que je trouve des articles ou des publicités hilarantes.

Par exemple, cet après-midi, j'ai lu des conseils sur les « problèmes féminins ». C'est quoi, les « problèmes féminins » ? Ce sont les règles ! Je pense qu'à cette époque, lorsqu'une fille avait le malheur de prononcer le mot « menstruation », sa langue s'enflammait et elle perdait tous ses cheveux. Comme si c'était sale et dégoûtant. Pourtant, toutes les femmes en ont, de l'adolescence à la ménopause. Y'a rien de honteux là-dedans, il me semble.

Les conseils étaient complètement débiles. La première journée, dans l'article on l'appelle le « début de la purification », il ne faut en parler à personne, c'est une affaire « privée ». Et la femme ne doit pas s'étonner si son mari l'évite parce qu'il est normal que ça le dégoûte !

Comme si le corps de la femme était « puni » parce qu'il ne porte pas d'enfant. C'est pourquoi Dieu le fait « pleurer des larmes de sang là où il est affligé ».

Et qui a écrit cet article débile ? Un prêtre ! De quoi j'me mêle !

Je pourrais passer des heures et des heures à lire ce genre d'imbécillités.

Cet après-midi, cependant, je n'ai pas pu parce que j'ai rencontré Mathieu ! Il était là pour faire une recherche sur le Net, il n'a pas d'ordi chez lui.

Sa recherche n'a pas trop avancé, on a passé notre temps à placoter. Lui et moi, on a un gros point en commun : on aime l'horreur. Pas la vraie, plutôt celle des livres et des films. Je lui ai parlé de mon idée de roman super méga *cool*, que je n'ai pas trouvé le temps de commencer. Il m'a dit qu'il avait aussi un projet ! Je lui ai parlé de plein de films qu'il ne connaissait pas et que je vais lui faire découvrir.

On est revenus sur ce qui s'est passé hier soir. Ça va me permettre de terminer mon compte-rendu.

Donc, après l'épisode du cercueil, je me suis dit que j'avais besoin de sortir de cette maison bizarre. J'allais demander à Mathieu de me raccompagner, mais il m'a fait signe de me taire.

- Quoi ?

- Il y a quelqu'un dans l'autre pièce.

- Arrête, je vais faire pipi dans ma culotte.

- Chut !

Il a collé son oreille au mur en disant :

- Ce n'est pas normal.

- Tu crois que c'est un fantôme ?

S'il m'avait dit que c'en était un, je me serais évanouie.

- Non, non. Pas du tout. Viens.

Dans la pièce d'à côté, on avait effectivement ouvert la lumière.

- C'est peut-être Jimmy, j'ai dit.

- Peut-être pas. Personne n'est supposé être là.

Il a essayé d'ouvrir la porte. Elle était verrouillée.

- C'est une des chambres d'invités. Suis-moi.

Nous sommes revenus dans la pièce où il y avait le cercueil. Mathieu a ouvert une porte que j'avais prise pour la garde-robe et nous sommes entrés dans la salle de bains en faisant le moins de bruit possible. Il y avait une autre porte : celle-là donnait sur la chambre d'à côté. Lentement, il l'a entrouverte.

Il y avait une fille allongée sur le lit, une fille de secondaire 4, que je connais de vue seulement, et un gars qui avait les mains sous son chandail.

Au début, j'ai cru qu'ils se caressaient. Mais la fille avait les yeux fermés et ne réagissait pas plus qu'une poupée. Elle dormait.

Mathieu a reculé un peu, puis a donné un violent coup de pied dans la porte. Ensuite il s'est avancé vers le gars, que je n'avais jamais vu, qui devait avoir dans les 16, 17 ans.

- Je peux savoir ce que tu fais là ?

Il l'a poussé violemment et le type est tombé en bas du lit.

- Qu'est-ce que tu faisais ?

Mathieu a agrippé son chandail qu'il a déchiré en relevant le gars. Il a ouvert la porte et il est sorti dans le corridor avec lui.

Je ne savais pas trop ce qui se passait et pourquoi il réagissait de manière aussi violente. Je me suis assise sur le lit. La fille sentait l'alcool.

- Est-ce que ça va ? j'ai demandé.

Elle était K.-O.

J'ai fait un lien dans ma tête : c'était peut-être la blonde de Mathieu ! Et genre, il venait de la surprendre avec un autre gars !

La fille a tourné la tête vers moi. Elle a ouvert un peu les yeux et m'a fait un sourire. Puis elle s'est rendormie, la bouche entrouverte.

Elle était complètement saoule. C'est du moins ce que je croyais.

Mathieu est revenu.

- Comment elle va ?

- Je ne sais pas trop. Elle est tout à fait *out*. Tu la connais ?

- Un peu, oui.

- C'est ta blonde ?

- Non, non. Pas du tout. Elle a déjà habité pas loin de chez moi.

- OK. Alors je ne comprends pas trop. Pourquoi tu as réagi comme ça avec le gars ?

Il a approché son visage de celui de la fille.

- D'après toi ?

- Je ne sais pas.

- Il allait profiter d'elle.

- Tu veux dire, genre, abuser d'elle ?

- Tu crois qu'elle est en état de donner son accord ?

- Non, pas vraiment.

- Alors oui, il allait abuser d'elle.

Je n'en revenais pas. Je n'en reviens toujours pas, d'ailleurs. On a empêché un viol ! 😲 Je suis traumatisée, depuis. Et je pense que je vais l'être pour toujours.

J'ai demandé :

- Alors, on fait quoi ?

- Il faut appeler ses parents. Tu peux vérifier si elle a un portefeuille sur elle ou un téléphone cellulaire ?

Ce que j'ai fait. Il n'y avait rien dans les poches de son jeans, uniquement un billet de cinq dollars.

- Faut trouver son manteau.

- Tu sais à quoi il ressemble ?

- Aucune idée.

Mathieu m'a expliqué que ce serait difficile puisque les manteaux étaient empilés les uns sur les autres. Il y en avait une cinquantaine et ils formaient une montagne dans une pièce à côté de la porte d'entrée.

- Elle est venue avec une de ses amies, je les ai vues arriver. Je vais essayer de la retrouver, elle pourra nous aider à trouver son manteau.

Mathieu est parti et m'a laissée seule avec Natacha (c'est son prénom). Je me suis dit que dès qu'il serait de retour, je rentrerais chez moi. Je ne me sentais pas bien dans cette maison. Je ne connaissais personne, la musique était nulle, mon frère m'espionnait, les gens buvaient à s'en rendre inconscients, des gars dégueulasses essayaient d'en profiter et il y avait un cercueil dans l'autre pièce ! C'était trop. J'aurais voulu être dans mon lit, en pyjama, avec mon petit Youki d'amooour et un bon livre sous les yeux !

Natacha ne bougeait tellement pas que j'ai eu peur qu'elle soit morte. À trois reprises, j'ai mis ma main tout près de sa bouche pour m'assurer qu'elle respirait. Heureusement que la lumière était allumée !

Après une éternité où mon imagination a inventé les pires scénarios (le mannequin dans le cercueil m'attaquait, entre autres.), Mathieu est enfin revenu, un manteau sur le bras.

- J'ai appelé ses parents, il a dit. Ils viennent la chercher.

On a eu toute la misère du monde à lui mettre son manteau. On dirait que parce qu'elle était toute molle, elle pesait une tonne. Pourtant, c'est une fille mince et petite.

Mathieu l'a prise dans ses bras. On s'est rendus dans la cuisine et on est sortis par la porte patio.

Au bout d'une dizaine de minutes, son père est arrivé. Il était furieux... contre nous !

- Qui a fait ça à ma fille ?

- Je ne sais pas, a dit Mathieu. On l'a trouvée comme ça.

Le père de Natacha a commencé à lui parler, mais durement. Genre : « Lève-toi ! » ou « C'est la dernière fois que je te laisse sortir ! » Natacha n'a répondu à rien. Son cerveau était à *off*.

Son père l'a prise dans ses bras. Mais elle n'avait aucun tonus.

- Tiens-toi debout ! Allez !

Mathieu a tenté d'intervenir :

- Elle ne répond pas.

- Je sais qu'elle ne répond pas, il a rétorqué. Je ne suis pas aveugle.

Il a poussé sa fille sur le banc arrière et a démarré la voiture en faisant crisser ses pneus.

- Wow, j'ai fait. Méchant père !

- Ouais. J'imagine que c'est tout un choc de voir sa fille dans cet état.

- Tu ne lui as pas dit pour le gars ?

- Nan. C'était pas nécessaire. Je ne sais même pas si je vais en glisser un mot à Natacha quand elle va être revenue d'entre les morts.

- Tu devrais. Pour qu'elle se méfie un peu la prochaine fois.

- Ouais. T'as raison.

- C'est horrible ce qui a failli se passer. Je n'arrive pas à y croire.

- Ouais, des fois, c'est des choses qui se passent. Avec l'alcool et tout. Faut juste pas laisser faire ça.

J'ai regardé l'heure sur mon téléphone cellulaire.

- Je vais m'en aller, il est tard, je lui ai dit, même si j'avais déjà pris ma décision depuis une demi-heure.

- Reste, la fête ne fait que commencer.

J'ai composé le numéro de téléphone de la maison.

- C'est pas mon genre de fête. J'ai eu assez d'émotions fortes pour le reste de ma vie.

J'ai demandé à Grand-Papi de venir me chercher. Dix minutes plus tard, il était là. Pendant ce temps, Mathieu est resté avec moi et on a discuté de tout et de rien.

Je l'aime bien, ce garçon. On peut parler de n'importe quel sujet avec lui.

Il m'a demandé ce que je faisais ce soir. Je vois Kim, donc j'ai dit que j'étais occupée.

- Dommage, je voulais t'inviter à un autre *party* de Jimmy. Vu que t'as aimé celui d'hier.

Très drôle. Quand il blague, il ne sourit pas du tout. Il est pince-sans-rire, j'adore ça.

On va peut-être se voir demain. Il m'a donné son numéro de cellulaire, il m'a dit de l'appeler si je n'avais rien à faire.

Publié le 1er octobre à 21 h 52 par Nam
Humeur : Optimiste

> L'espoir renaît

J'ai passé la soirée chez Kim. On a travaillé sur son document de présentation pour le groupe d'entraide. Si ça fonctionne, ce sera super chouette. Ce sera un lieu où on pourra être tranquille ou juste jaser. Ça s'adresse aux gais et aux lesbiennes, mais pas exclusivement, tout le monde sera invité. Et genre, une fois de temps en temps, des conférences pourront avoir lieu à l'auditorium pour faire de la sensibilisation. On est allées sur le Net et on a trouvé plein de méthodes pour combattre l'homophobie. On demande à la direction un local et un petit budget pour des pancartes.

Kim est prête à donner beaucoup de son temps, mais Nath a peur d'être ridiculisée si elle participe. Kim essaye de la convaincre, mais Nath hésite.

J'ai parlé à Kim de ma soirée d'hier. Elle m'a trouvée complètement folle d'y être allée seule. Je n'ai pas mentionné à mon amie la brosse à barbecue qui, dès que j'ai remis le pied dans la maison, a retrouvé ses camarades le presse-légumes, la louche à soupe et le duo fourchette et cuillère à salade dans le pot à ustensiles.

J'ai aussi raconté ce que nous avons vu, Mathieu et moi, l'obsédé qui a tenté de profiter de Natacha. Kim a ouvert de grands yeux quand elle a entendu son nom.

- Je la connais ! Natacha, oui, oui, elle a les cheveux longs et blonds ?

- Ouais, c'est elle.

- Elle l'a échappé belle !

- On peut dire, oui. Pas le gars, cependant. Mathieu lui a fait passer un mauvais quart d'heure.

J'ai gardé le meilleur pour la fin : j'ai sorti les bulletins de vote à moitié brûlés. Elle les a regardés, l'air incrédule.

- Où les as-tu trouvés ?

- Dans le foyer de la cuisine, chez Jimmy.

- Tu me niaises ?

- Pas du tout.

- Qu'est-ce qu'il faisait avec ça ?

- C'est la question que je me pose aussi. Monsieur M. serait peut-être intéressé à les voir, tu crois ?

Kim, les deux mains sur la tête, s'est laissée tomber sur son lit.

- C'est fou... Ça voudrait dire qu'il a vraiment triché ?

- Et ça voudrait dire que tu as gagné.

Un sourire est apparu sur son visage. Elle a pris son téléphone et a appelé Nath pour lui raconter ça. Et en raccrochant, elle lui a dit : « Je t'aime. »

- Tu es heureuse que ce soit ta blonde ?

Elle a fait oui de la tête.

- Mais Nath ne veut pas le dire.

- Pourquoi ?

- Toujours la même chose : elle a peur d'être ridiculisée. C'est un secret, d'ac ? Même sa mère ne le sait pas.

- Elle ne sait pas que vous sortez ensemble ?

- Non. Elle ne sait pas non plus qu'elle préfère les filles aux garçons.

- Oh ! Je comprends. Motus et bouche cousue !

Je vais tenir ma promesse, c'est sûr.

(...)

Michaël vient de se brancher à Messager. Je n'ai pas vraiment pensé à lui aujourd'hui, mais de le savoir en ligne me fait quelque chose.

J'aimerais lui parler de ma journée et de la soirée d'hier. Mais je suis trop fatiguée.

J'ai juste hâte qu'il se branche. Pas à Messager, mais dans notre supposée relation. Je n'ai plus le goût de jouer à la fille qui se fiche de lui.

Faut que je lui parle demain. Ça a assez duré.

Dodo.

Non, ce n'est
pas moi

Publié le 2 octobre à 9 h 21 par Nam
Humeur : Résolue

> Il faut qu'il se décide

J'ai beaucoup pensé cette nuit. À ce qui s'était passé pendant le *party*. Pourquoi il existe des profiteurs comme ceux-là ? Pourquoi des filles se font agresser sexuellement ? C'est quoi le but ? Ça détruit une vie ! Tout ça pour du sexe !

Il me semble avoir lu sur une affiche dans un corridor de l'école que 90 % des agressions sexuelles ne sont pas déclarées et que plus de la moitié des femmes (plus de 50 %) en seront victimes dans leur vie ! Ça me fait capoter.

Comme si on était des objets sexuels.

C'est sûr que je pense à la première fois où ça va m'arriver. Faire l'amour, je veux dire. J'ai des fantasmes, aussi. Et des fois, je fais des rêves osés. J'ai alors l'impression d'être touchée et d'être embrassée et tout. Ça me met à l'envers. Mais je n'irais jamais forcer une autre personne à me donner du plaisir. C'est juste... inconcevable.

Je discutais avec Mathieu hier. On est un peu face à un dilemme, lui et moi. Est-ce qu'on dit à Natacha ce qu'on a vu ? Ou on oublie ça ? Si on lui dit, peut-être que ça va la traumatiser ? Et si on ne lui dit pas, parce qu'elle était inconsciente, elle n'en saura jamais rien. Mais qui sait si le gars (il s'appelle Éric et est en secondaire 4) ne va pas recommencer ?

C'est une situation où il n'y a que des perdants. Je crois que malgré tout, il faut le dire à Natacha. Mathieu est d'accord avec moi. Dès qu'il va la revoir, il va lui parler.

Et qu'est-ce qui va se passer après ? Elle va appeler la police ? Éric va se faire arrêter ? Est-ce qu'il va falloir qu'on aille témoigner en cour ? Et le père de Natacha ? Il capotait parce qu'elle a bu de l'alcool, comment il va réagir quand il va découvrir qu'elle a été « caressée » sans son consentement ?

Je n'aurais jamais dû aller à ce *party*. C'était une idée stupide. Et en plus, j'ai rêvé à la maudite tête de mannequin dans le cercueil. Elle me pourchassait dans la maison de Jimmy en crachant des rats chauves (allô, mon inconscient! Est-ce que les rats sans poils étaient vraiment nécessaires ?). Et chaque fois que j'ouvrais une porte, il y avait un autre cercueil avec une autre tête. L'horreur.

Je pense que j'ai vieilli de 142 ans cette fin de semaine.

(…)

J'ai beaucoup songé à Michaël aussi. Et j'en suis venue à la conclusion que c'est assez. La semaine, il me colle, je suis la femme de sa vie (c'est l'impression qu'il me donne). Et la fin de semaine, il m'ignore, enfin presque. Probablement parce qu'il est avec sa Mylène. Je suis quoi pour lui ? Une bouche-trou ? Ou il m'aime vraiment et il est juste maladroit ?

Et le truc de la sœur de Nath, celui de l'ignorer, il fonctionne, mais ultimement, il mène à quoi ? J'agis comme une sorcière qui a des dents toutes pourries dans la bouche. Avec le balai et le chat noir, je pourrais gagner un concours de méchanceté. Ce n'est tellement pas moi !

En plus, je me sens un peu poche. Sa blonde, est-ce qu'elle sait qu'on est si proches ? Est-ce qu'elle s'en doute ? Je ne veux pas casser un couple, moi ! Je veux juste aimer et être aimée. Pourquoi c'est si compliqué ?

Donc je lui ai écrit un courriel. Il faut qu'il se passe quelque chose.

« Cher Michaël,

Salut, c'est moi. Namasté. Je t'écris ce message pour te dire comment je me sens dans notre relation. Si on peut appeler ça une relation.

Je comprends que tu as déjà une blonde et que tu hésites entre elle et moi. Mais ça ne peut plus durer. Je ne suis pas un parcomètre qui attend qu'on mette de l'argent dedans. J'aimerais sortir avec toi, c'est sûr. Je crois que je t'aime. T'es un gars chouette. Et avec l'histoire du t-shirt de Zac, je croyais que c'était quelque chose comme le Destin qui me faisait signe. Peut-être que c'en est un, mais il est difficile à interpréter. Des fois, t'es super proche de moi et d'autres fois, tu t'éloignes. Comme en fin de semaine. Tu ne m'as pas du tout donné de nouvelles. Est-ce que j'existe seulement la semaine ? Moi, je pense à toi tout le temps.

Il y a aussi que ça me fait du mal de te savoir avec quelqu'un d'autre. Je ne la connais pas du tout, je suis sûre que c'est une fille bien. Mais quand j'imagine que tu lui tiens la main ou que tu l'embrasses, ça me brise le cœur.

Alors voilà. Il va falloir que tu fasses un choix. Parce que j'en ai assez d'avoir mal.

Désolée pour cette lettre un peu dure. Mais fallait que je t'en parle.

Namasté

P.-S. : Je te laisse quelques jours de réflexion. »

Après avoir cliqué sur « Envoyer », je me suis dit que je venais de faire une gaffe. Et s'il le prenait mal ? Genre qu'il me dit : « Tant pis pour toi ! »

Évidemment, il aurait fallu que j'y pense avant.

J'ai une tonne de devoirs. Et j'ai le numéro de Mathieu sous les yeux. Si je l'appelais ?

Publié le 2 octobre à 16 h 48 par Nam
Humeur : Ravie

> J'ai des priorités

Toujours pas de nouvelles de Michaël au sujet du courriel que je lui ai envoyé ce matin. Peut-être qu'il ne l'a pas encore lu. Peut-être qu'il réfléchit.

Ah ! Il est en ligne ! Ça veut dire que c'est sûr qu'il l'a lu.

Argh ! Qu'est-ce qu'il attend pour me répondre ?!

(...)

Ce matin, quand j'ai écrit mon billet, j'avais une tonne de devoirs. Résultat après une journée acharnée de travail : j'ai encore une tonne de travaux. Pourquoi ? Parce que j'ai passé du temps avec Mathieu.

Je l'ai appelé sur son cellulaire, juste pour savoir comment il allait. On a un peu jasé, mais comme il ne lui restait que quelques minutes de conversation, il a dit qu'il serait préférable qu'on se voie. On a pris un rendez-vous à la bibliothèque. J'ai apporté mon sac d'école, parce que j'avais l'intention de m'avancer. Je ne l'ai même pas ouvert. J'ai passé la journée à placoter avec lui.

Mathieu, il est vraiment gentil. Il connaît plein de choses, en plus. Avec lui, je sors de la biblio pas mal plus intelligente. Je le suis déjà tellement, je vais devenir un génie.

C'est pour ça que j'aime les gars plus vieux que moi. Ils sont intéressants et ils ne disent pas de niaiseries chaque fois qu'ils ouvrent la bouche. Et les gars de ma classe, ce sont des obsédés sexuels. Ils n'arrêtent pas de parler de sexe et de ce qu'ils ont vu sur le Net. Je suis déjà tombée sur des trucs horribles. Des femmes avec des seins super gros, genre impossiblement énormes... Dégueu ! J'en ai des frissons quand j'y repense.

Les gars, ils parlent entre eux de leurs « découvertes » sans se gêner. Moi, ça me repousse. Est-ce qu'ils pensent vraiment qu'ils vont attirer des filles comme ça ? C'est pathétique. Ce n'est pas de l'amour, ça. L'amour, c'est ce que les filles veulent. Pas se faire raconter les exploits de héros en plastique !

Ils ne l'ont tellement pas, l'affaire ! Et ils font des blagues super poches. Genre, un gars demande à une fille : « Si t'avais pas de pieds, est-ce que tu porterais des chaussures ? Non ? Pourquoi alors tu portes un soutien-gorge ? ».

Ah. Ah. Ah. Très. Drôle.

Il n'y a pas un seul gars dans ma classe ou dans mon niveau qui m'intéresse. Pas même l'ombre d'une miette d'un atome. Il y en a un ou deux qui sont gentils, mais rien pour me faire rêver à eux.

C'est clair que même parmi les gars de secondaire 4 ou 5, il y a des imbéciles. Mais il y en a moins.

Avec Michaël et Mathieu, je me sens écoutée. Ça fait toute la différence.

Je pensais à ça, cet après-midi, quand je discutais avec Mathieu. C'est tellement agréable de pouvoir parler à quelqu'un sans que ça tourne à la farce. Mathieu a un super sens de l'humour, mais à la différence des gars de ma classe, ses blagues sont drôles.

Mathieu et moi avons discuté de l'horreur en général, dans les films et les romans, puis je lui ai demandé quelle était l'histoire la plus effrayante qu'il ait jamais entendue.

- Les pires histoires d'horreur, ce sont les contes de fées.

- Voyons !

- Je te le dis. Tu connais *Le Petit chaperon rouge* ?

- Bien sûr.

- Eh bien, dans la version originale, le loup donne le mauvais chemin à la fille. Quand elle est perdue, il la dévore. Point. Y'a pas de grand-mère ni de bûcheron qui la sauve.

- Eh ben !

- *Blanche-Neige*. Dans la version qu'on connaît, sa belle-mère veut sa peau, elle demande au chasseur de lui rapporter son cœur, elle se retrouve chez les sept nains, elle mange la pomme, meurt, le prince charmant la ressuscite en l'embrassant et le tour est joué.

- J'ai peur d'entendre l'histoire d'origine.

- C'est un peu différent. La belle-mère veut le foie et les poumons pour les manger le soir. Le prince retrouve Blanche-Neige morte. Elle se réveille non pas en se faisant embrasser, mais à cause des mouvements de son cheval. Aucune idée de ce que le prince supposément charmant aurait voulu faire avec une morte.

- Aïe ! Tu es en train de détruire mes rêves d'enfance.

- Désolé. Ah oui ! À la fin, on oblige la méchante belle-mère à danser jusqu'à sa mort dans des sabots qui ont passé des heures dans un four.

- Bien fait pour elle !

- Ouais, t'as raison. Dans *Cendrillon*, les deux belles-sœurs, pour faire entrer leur pied dans la chaussure en cristal, se coupent les orteils à la scie.

- Bonne idée.

- Ouais. Dans *Boucle d'or et les trois ours*...

Je l'ai interrompu :

- Laisse-moi deviner. Les trois ours mangent Boucle d'or ?

- Exactement. T'as un esprit tordu comme je les aime. OK, un dernier, le plus dégoûtant. Dans *La Belle au bois dormant*, tu peux essayer de deviner la vraie histoire ?

J'ai cherché. Rien.

- Aucune idée, j'ai répondu.

- Dans l'histoire qu'on connaît, la Belle se pique le doigt, s'endort pour cent ans et se réveille quand le prince l'embrasse.

- Ouuui... Quel romantisme !

- C'est faux ! Ce n'est pas ça, la vie, Namasté. C'est cruel, bizarre et tordu.

- Arrête.

- Tu veux savoir la vraie histoire ?

- Non. C'est trop pour moi. Je veux rester pure et naïve.

- D'ac.

Un silence. Puis :

- D'accord, dis-la-moi. Je suis trop curieuse.

Mathieu a souri.

- Tu l'auras voulu. Dans la vraie histoire, tandis qu'elle dort, le roi lui fait des choses. Et neuf mois plus tard, elle a des jumeaux. Ce sont les douleurs de l'accouchement qui la réveillent.

- Tu plaisantes ?

- Pas du tout.

- OK, j'en ai assez entendu pour aujourd'hui.

- T'es moumoune.

- Je n'ai pas passé une très belle fin de semaine.

- C'est gentil pour moi.

Il m'a fait un clin d'œil.

- Non, non, ce n'est pas ce que j'ai voulu dire.

- J'ai compris, je ne compte pas pour toi.

Je savais qu'il blaguait. J'ai quand même décidé d'entrer dans son jeu. J'ai mis mes mains sur les siennes.

- Tu comptes énormément pour moi. Tu fais maintenant partie de ma vie. Quand tu vas vouloir en sortir, il va te falloir une permission spéciale du ministre de mon Cœur.

Il m'a regardée droit dans les yeux. J'ai baissé les miens et j'ai retiré mes mains.

- Est-ce qu'il me faut une permission spéciale pour t'embrasser ?

- Sur la bouche ?

- Je n'oserais jamais. Un baiser sur la joue.

- Permission accordée, j'ai dit.

Je lui ai tendu la joue. Devant tout le monde dans la bibliothèque, il a posé ses lèvres chaudes et douces sur ma joue. Pas tout à fait, un peu plus bas que ma joue, presque sur le coin de mes lèvres.

Ahhh... Je suis un peu mélangée. Beaucoup même.

J'aimerais que Mathieu soit sur Messager. On pourrait *tchatter*, ça me ferait du bien. Il me manque.

Je dois me concentrer sur mes devoirs. J'en ai trop.

Après le souper.

Parle-moi !
Namxox

Publié le 2 octobre à 21 h 24 par Nam
Humeur : Interloquée

> Michaël est un casse-tête auquel il manque des morceaux

Je ne comprends plus.

Je m'attendais à une réponse de Michaël. Au moins un court message, genre : « OK, j'ai lu, je te reviens dès que je peux. »

Pas du tout. Rien. *Niet*.

Je n'arrive pas à le comprendre. À percer le mystère du « cas Michaël ».

Je lui ai parlé tantôt sur Messager. Il a fait comme si de rien n'était ! Des questions super banales comme : « T'as fait quoi en fin de semaine ? », « Avais-tu ben des devoirs ? » ou le classique de tous les classiques : « Il pleut fort, hein ? » Je m'en fous de la pluie ! Je veux parler de nous deux ! De notre pseudo-relation qui n'a pas de sens !

Ce n'est juste pas imaginable. Je lui écris un courriel avec mon cœur et lui fait comme si je lui avais envoyé une satanée chaîne de lettres. Copier-coller d'une partie de notre conversation :

Michaël (pas Jackson) :

C'est fou comme il pleuvait tantôt.

Namasté-la-sucrée :

Je t'ai envoyé un courriel ce matin.

Pas de réponse pendant deux minutes.

Namasté-la-sucrée :

Allô ? T'es là ?

Michaël (pas Jackson) :

Yep.

Namasté-la-sucrée :

T'as reçu mon courriel de ce matin ?

Michaël (pas Jackson) :

Yep.

Namasté-la-sucrée :

Alors ? Tu l'as lu ?

Michaël (pas Jackson) :

Yep.

Namasté-la-sucrée :

Et alors ?

Michaël (pas Jackson) :

Alors quoi ?

Namasté-la-sucrée :

T'en penses quoi ? Silence radio. Voyons ! Je vais m'énerver !

Namasté-la-sucrée :

Michaël ?

Michaël (pas Jackson) :

Yep.

Namasté-la-sucrée :

Je t'ai posé une question !

Michaël (pas Jackson) :

MDR

Namasté-la-sucrée :

Mort de rire ?! C'est quoi le rapport ?

Et il s'est débranché. IL S'EST DÉBRANCHÉ ! 😮 Comment il a osé me faire ça !

Je suis insultée. D'aplomb.

Pour ce soir, il s'en sort. Mais demain, à l'école, ça ne se passera pas comme ça. Je vais le pourchasser jusqu'à ce qu'il réponde à mes questions.

Ce sont mes sentiments. S'il m'aime, il devrait en tenir compte, non ? Ce n'est pas comme si je lui avais demandé de faire une prédiction sur le prochain match de hockey.

Il ne s'en tirera pas aussi facilement.

Publié le 3 octobre à 12 h 01 par Nam
Humeur : Découragée

> Jamais facile

Je suis arrivée plus tôt que d'habitude ce matin. Pour deux raisons :

1- Je voulais parler à Monsieur M. au sujet des bulletins de vote.

2- Je voulais intercepter Michaël et lui parler.

Les résultats ont été très moyens.

J'ai pu parler avec le directeur. Il m'a dit qu'il trouvait étrange, effectivement, que les résultats de secondaire 1 et de secondaire 5 soient si différents des autres.

- Mais je n'ai pas de preuve qu'il y a eu tricherie.

C'est alors que j'ai sorti les bulletins de vote à moitié calcinés trouvés chez Jimmy vendredi soir.

Monsieur M. les a observés attentivement.

- Où as-tu trouvé ça ?

Je le lui ai dit.

- Hum... C'est troublant, mais ce n'est pas une preuve suffisante.

- Quoi ? Ce sont des bulletins de vote. Qu'est-ce qu'il vous faut de plus ?

- Un coupable.

- Jimmy ! C'est chez lui que je les ai retrouvés !

- Mais il n'y a aucune preuve que c'est lui qui a falsifié les résultats.

Les poils de mes jambes ont commencé à frétiller (oui, je dois les raser).

- Voyons ! C'était dans sa maison, dans son foyer.

- Je suis d'accord. Mais il n'y a rien qui indique que c'est lui qui les a mis là.

- C'est sa maison, j'ai répété.

- Qu'est-ce qui me prouve que ce n'est pas toi qui les as brûlés et placés dans le foyer ensuite ?

Son hypothèse m'a presque laissée muette.

- Vous croyez que j'aurais pu faire une chose pareille ?

Il a souri et a baissé la voix d'un ton.

- Non. Mais c'est ce que Jimmy va dire pour se défendre. J'avoue que ta découverte est inquiétante. Mais ce n'est pas une preuve suffisante.

- Alors c'est quoi ?

- Ce sont des indices.

OK, est-ce que je suis coincée dans un roman policier sans le savoir ? Est-ce qu'il va bientôt y avoir un meurtre que je vais devoir élucider avec une grosse loupe et une pipe ?

Je suis sortie du bureau de Monsieur M. plutôt déprimée. Mon scénario parfait (Monsieur M. bondit sur sa chaise, hurle sa joie de m'avoir comme élève, me félicite, me remet un diplôme et un certificat-cadeau de cinq dollars de la cafétéria, s'empare du micro de l'interphone, dit à tout le monde à quel point je suis géniale, annule les élections et décrète que Kim est la nouvelle présidente) ne s'est tellement pas réalisé. Un fiasco.

Prochaine étape : le casier de Michaël. Il n'allait pas m'échapper, cette fois.

Quand il m'a vue, il m'a semblé que la peau de son visage était en train de devenir grise.

- Nam ! Quelle belle surprise !

Si je suis une « belle surprise », lui, c'est un « mauvais comédien ».

- C'est quoi le jeu que tu joues avec moi ? j'ai demandé.

Il a commencé à faire tourner la roulette de son cadenas.

- Quel jeu ?

- Je t'ai envoyé un courriel hier matin.

- Oui, je sais.

Silence. Il m'énerve !

- Alors ? T'en dis quoi ?!

- Bah, rien.

- Je te demande de faire un choix entre l'autre fille et moi. J'en ai marre d'attendre comme une nouille. Marre qu'un jour, tu me traites en princesse et le lendemain, que tu fasses comme si je n'existais pas.

Le cadenas refusait de s'ouvrir. C'était la troisième fois qu'il refaisait la combinaison de chiffres.

- Je suis mêlé, il a dit.

- Bon. C'est un début de réponse. Qu'est-ce que tu vas faire ?

- Je ne sais pas.

- Eh bien, tu me le laisseras savoir. Et ne tarde pas trop parce que je ne suis pas du genre à faire la file pour un gars.

Et je suis partie.

Et depuis, il me colle. Entre chaque période, il vient me voir et fait comme si j'étais la fille la plus importante de son existence.

Je. Ne. Comprends. Rien.

Je ne serai plus Namasté
Namxox

Publié le 3 octobre à 16 h 31 par Nam
Humeur : Enragée

> Entêtée ? À peine

Kim dit que je perds mon temps avec cette histoire de tricherie. Elle affirme que je devrais laisser tomber.

Je ne peux pas.

Je ne peux pas concevoir qu'un têtard gluant comme Jimmy va s'en tirer sans payer pour ses crimes.

Monsieur M. veut une preuve ? Il va en avoir une. Une tellement grosse que son café va se mettre à bouillir dans sa tasse quand il en prendra connaissance.

J'ai une cible : il s'appelle Stive (ce n'est pas une erreur, il y a bel et bien un « i » dans son prénom). Il est en secondaire 1. C'est lui qui a été scrutateur pour son niveau. C'est lui qui aurait été acheté. Comment je le sais ? J'ai posé des questions. Notre alliée de secondaire 1, la toute mignonne Patricia, m'a servi d'informatrice.

J'ai vu à quoi ressemblait le monsieur : petit, maigre, avec un début de moustache (qui est plutôt un amas de poils repoussants). Patricia m'a indiqué que deux choses ont changé chez Stive depuis les élections : il dit à tous ceux qui veulent l'entendre qu'il est l'ami de Jimmy, qu'il a son numéro de cellulaire et qu'il a fait une balade dans son auto sport (Jimmy utilise son auto pour aller à l'école même si de la porte d'entrée de sa maison à celle de l'école, il y a vingt-sept centimètres). Et Stive a un nouveau lecteur MP3 vraiment *cool*, un truc à trois cents dollars. Alors qu'au début de l'année, il se vantait (!) de ne pas pouvoir faire ses devoirs parce que ses parents n'avaient pas assez d'argent pour acheter ses cahiers d'exercices.

Donc, c'est suspect.

Il n'est pas subtil, le monsieur. Je crois que je vais réussir à le faire parler. Ce que je n'arriverai pas à faire avec la scrutatrice de secondaire 5. Il semblerait que c'est une « bonne amie » à Jimmy. Genre, ils ne sortent pas ensemble, mais ils font des trucs ensemble.

Comment je peux faire cracher le morceau au si désirable Stive ?

J'ai pensé aller le voir et, avec un rasoir, le menacer de lui tondre la touffe qu'il a sous son nez. Trop cruel. Il va lui falloir des années de thérapie pour regagner sa virilité.

J'ai pensé y aller avec de la douceur. Genre le charmer avec mes attributs physiques irrésistibles : ma petite poitrine, ma voix de farfadet, mes broches et mes lunettes. Trop contre nature. Juste d'y penser, mon dernier repas veut gicler de ma bouche telle une fontaine.

Il me reste une solution. Pas très nette, cependant. Illégale, non. Mais croche, oui. Je n'ai pas le choix : me faire passer pour quelqu'un d'autre.

Ma tactique : je viens de me créer une nouvelle adresse courriel. J'ai ajouté Stive à mes contacts sur ce nouveau compte. Je vais me faire passer pour une mystérieuse demoiselle qui veut en savoir plus sur sa divine personne. Un exercice d'impro, finalement.

J'ai y pensé et je suis prête à jouer le jeu.

(...)

Parlant d'impro, demain, pendant le dîner, on recrute. Mathieu va être avec moi. Est-ce que je vais devoir sortir la mascotte pour attirer l'attention ?

C'est le cataclysme qui guette l'école si on n'arrive pas à trouver d'autres joueurs.

(...)

J'ai discuté un peu avec Mathieu. Natacha, la fille de vendredi soir, n'était pas à l'école aujourd'hui. Il y a des rumeurs qui circulent, genre qu'elle était si intoxiquée qu'il a fallu qu'elle soit hospitalisée. Des rumeurs qui viennent de sa *best,* quand même.

Éric, le mec de secondaire 4, a dit qu'il ne se souvenait plus de rien parce qu'il était trop saoul. Quoi ?! C'est une raison pour justifier ce qu'il a fait ? JAMAIS DE LA VIE !

Il me dégoûte.

Dans un autre ordre d'idées, quand on se voit, Mathieu et moi, on s'embrasse. Entre la joue et les lèvres. Mais plus près des lèvres.

Quand Michaël a vu ça, son visage s'est raidi. Après, il m'a posé des questions genre : « C'est qui, lui ? », « Pourquoi il t'embrasse ? » et « Tu penses vraiment que je suis jaloux ? »

Jaloux ? Ce n'est pas le mot. Il est fou de jalousie.

- T'es pas mon *chum*, je lui ai répondu. Et même si tu l'étais, je fais ce que je veux avec qui je veux.

Je suis tellement manipulatrice quand ça me prend.

(…)

Fred me gosse depuis une demi-heure pour que j'aille filmer ses exploits de *parkour*.

Misère.

Qu'est-ce que je ne ferais pas pour lui ?

Accroche-toi,
mon stive
Namxox

Publié le 3 octobre à 20 h 48 par Nam
Humeur : Perplexe

> Le poisson va-t-il mordre ?

Mon frère était de retour à l'école aujourd'hui après sa suspension pour avoir terrassé l'ami géant de Jimmy. Même s'il ne laissait rien paraître, Tintin m'a dit qu'il a angoissé toute la semaine dernière. Il avait peur de représailles.

Finalement, tout le monde l'a laissé tranquille. En fait, personne n'a osé le regarder droit dans les yeux. Comme si c'était un lion qui, dès qu'on croise son regard, attaque.

Mon frère est une terreur !

Ah ! Ah ! Ah !

NAWAK !

Parlant de terreur, je l'ai filmé avant le souper, en train de faire ses cascades pourries. Il est tellement poche. Ça n'a pas de sens. Un enfant de deux ans fait des trucs plus spectaculaires avec une couche pleine de pipi.

On est allés au parc avec Tintin. Qui ne filme pas parce qu'il doit se concentrer sur la « mise en scène ». Ouais, monsieur est devenu un artiste. Il dit que mon casque de bicyclette princesse le « connecte au néant ». Genre, qu'il a découvert que ses « canaux de créativité sont ouverts » quand il le porte. Et qu'il veut transformer le talent de mon frère en « œuvre d'art en mouvement ».

OOOKKKK...

Donc pendant que je filmais, Tintin était derrière moi et il criait à mon frère des trucs du genre : « Laisse tes bras humecter l'air ! », « Tes jambes doivent percer l'atmosphère ! » et « Desserre tes fesses, laisse-les parler ! »

Euh, non. Je ne veux pas entendre parler les fesses de Fred.

Donc il a passé dix minutes à sauter sur les jeux d'enfants, les dinosaures roses sur un gros ressort, les balançoires pour les dix-huit mois et moins et les glissoires à moitié moins hautes que moi. Tintin dit qu'il vaut mieux commencer « à la base » pour « bien apprivoiser ».

Ce que je ne ferais pas pour mon frère chéri !

(...)

Oh, oh... Je m'ennuie de Mathieu, mais pas de Michaël. Faut dire qu'il a été une vraie sangsue aujourd'hui. Et depuis que je me suis branchée à Messager, il m'envoie un message toutes les quatorze secondes et quand je ne réponds pas assez vite, il me demande pourquoi !

Michaël se sent menacé. Pauvre petit chéri. J'ai peur qu'il ne soit trop tard pour lui. Il y a quelque chose qui est sur le point de se briser, on dirait. Comme une dent qui branle. Un coup sec et elle va tomber.

Mais est-ce que Mathieu voudrait devenir mon *chum* ?

(...)

Pas de nouvelles de Stive. Il n'a toujours pas accepté ma demande de contact. Allez, petit poisson. Qu'est-ce que tu attends pour mordre à l'hameçon ? Le ver de terre n'est pas assez dodu et frétillant à ton goût ?

Je dois aller étudier.

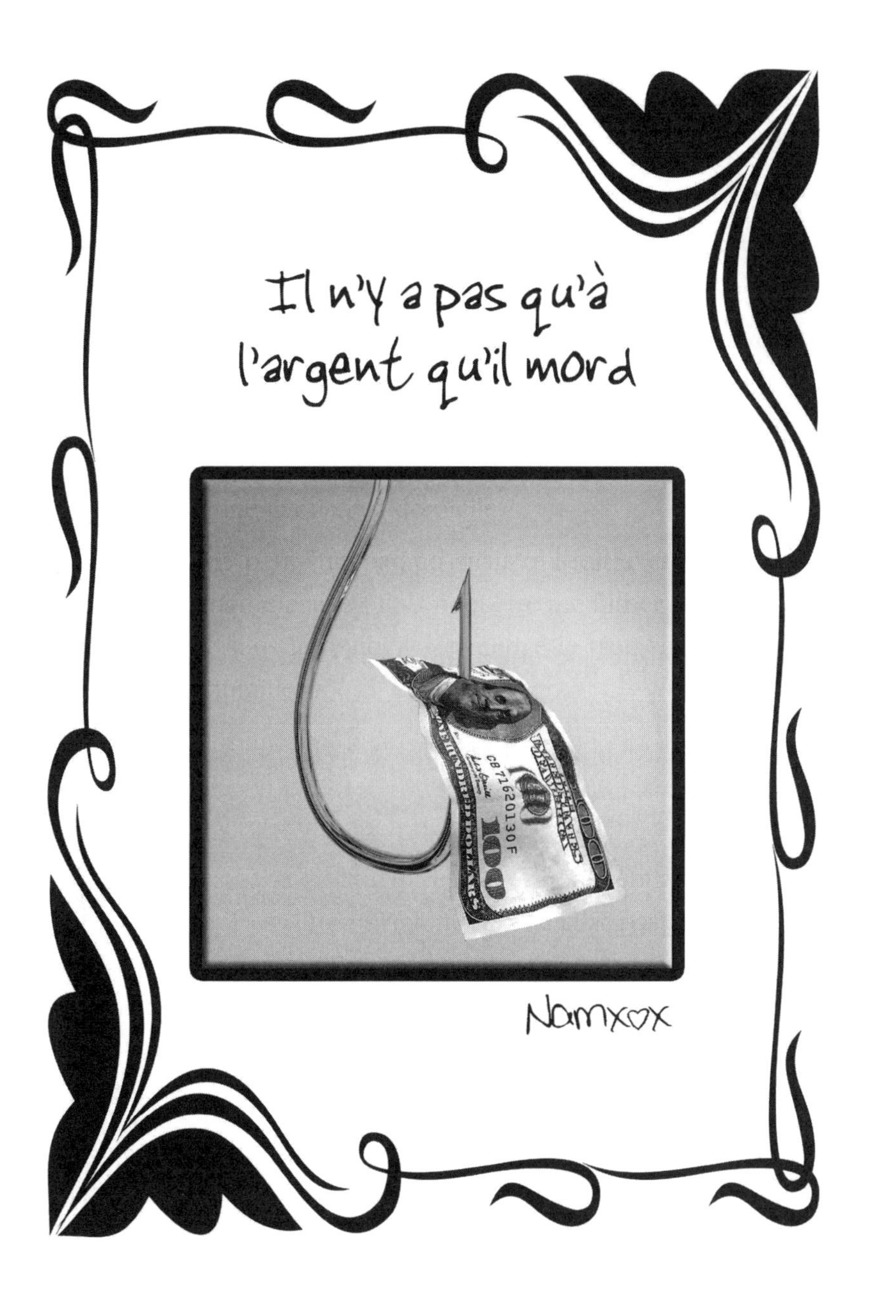
Il n'y a pas qu'à
l'argent qu'il mord
Namxox

Publié le 4 octobre à 17 h par Nam
Humeur : Dégoûtée

> Le poisson a mordu, mais l'hameçon est-il coincé dans sa joue ?

Je viens d'avoir une discussion hautement philosophique avec Stive. *Schnoute* de *schnoute*. Moi, j'ai improvisé. Genre que j'étais une greluche pas de tête qui passe son temps à se prendre en photo dans un miroir avec son cellulaire parce qu'elle est tellllllllllement *sexy* !

Stive, cependant, n'a pas improvisé. C'est ça qui est effrayant.

Faits saillants de notre conversation (avec mes commentaires) :

Stive (J'pu trop en d'sour des bras LOL) :
Té ki ?

(Je sais, Stive, ça sent même d'ici.)

Caroline-la-divine :

Je suis quelqu'un qui veut apprendre à mieux te connaître.

Stive (J'pu trop en d'sour des bras LOL) :
LOL

Caroline-la-divine :

Qu'est-ce qu'il y a de drôle ?

Stive (J'pu trop en d'sour des bras LOL):
Ren

Caroline-la-divine:

Quoi ?

Stive (J'pu trop en d'sour des bras LOL):
Ren

Caroline-la-divine:

Excuse-moi, mais « ren » n'est pas un mot. Je ne comprends pas.

Stive (J'pu trop en d'sour des bras LOL):
Rien LOL

(Qu'est-ce qu'il y a de si drôle ? Est-ce que j'ai un morceau de réglisse coincé dans mes broches ?)

Caroline-la-divine:

Ah. Donc « ren » veut dire « rien ».

Stive (J'pu trop en d'sour des bras LOL):
LOL

(Il y a du gaz hilarant dans la pièce où il se trouve ou quoi ?)

Caroline-la-divine:

Je te trouve très mignon, Stive.

Stive (J'pu trop en d'sour des bras LOL):
Té ki ?

(Ne pas m'attarder aux fautes, ne pas m'attarder aux fautes...)

Caroline-la-divine :

Je suis Caroline. Je t'observe depuis le début de l'année.

Stive (J'pu trop en d'sour des bras LOL) :
LOL

(Il rit de moi, je le sens !)

Caroline-la-divine :

En plus, c'est toi qui s'est occupé des élections en secondaire 1, non ?

(Je suis tellement subtile.)

Stive (J'pu trop en d'sour des bras LOL) :
Ta tu des gros totons.

(Je rectifie : IL est tellement subtil.)

Caroline-la-divine :

Ouais. Super gros.

Stive (J'pu trop en d'sour des bras LOL) :
LOL

Caroline-la-divine :

C'est pas drôle, quand je fais de l'éduc, je dois mettre trois soutiens-gorge sinon, ça fait mal quand je cours.

(Un peu d'éducation ne lui fera pas de tort.)

Stive (J'pu trop en d'sour des bras LOL) :
Hein ?!!?

Caroline-la-divine :

Laisse faire.

Stive (J'pu trop en d'sour des bras LOL) :
Ta tu une foto ?

Caroline-la-divine :

J'en ai quelques-unes. Je peux t'envoyer celle de mon chien avec une tuque de Noël, des verrues de mon grand-père ou de l'écureuil super ***cute*** qui a mangé une cacahuète dans ma main l'été dernier.

Stive (J'pu trop en d'sour des bras LOL) :
Hein ?

(Il manque de précision, ce Stive.)

Caroline-la-divine :

Ah, d'accord, tu veux une photo de moi.

Stive (J'pu trop en d'sour des bras LOL) :
LOL

(Vite, vite, sur Google Images, je cherche une photo ; faut que j'en trouve une qui va faire exploser son cerveau ; bon, OK, j'en ai une, ça n'a pas de sens, pas grave : une fille en bikini avec une fausse poitrine

tellement énorme qu'on a l'impression que deux nouvelles planètes se sont ajoutées au système solaire.)

Caroline-la-divine :

Tiens, c'est moi, ça.

(Je transfère l'image ; j'attends ses commentaires constructifs.)

Stive (J'pu trop en d'sour des bras LOL) :
LOL Gros totons LOL

(Il a un excellent sens de l'observation, ce Stive.)

Caroline-la-divine :

Ouais. Stive, mon poussin, parle-moi de ton expérience pendant les élections. Les gars avec des responsabilités, ça m'allume.

Stive (J'pu trop en d'sour des bras LOL) :
Je doi allé à toilette

Caroline-la-divine :

Attends !

Stive (J'pu trop en d'sour des bras LOL) :
Cé urgent numéro 2

(Ewwwwwwwwwwww... Je ne voulais pas savoir !)

Caroline-la-divine :

Charmant.

Et il s'est déconnecté. Moi aussi, à peine pas mal beaucoup dégoûtée.

Le courant passe entre lui et moi, c'est hallucinant.

Je vais souper. *J'ai tellement faim*.

Publié le 4 octobre à 20 h 42 par Nam
Humeur : Soucieuse

> Quelle mouche l'a piqué ?

Je viens d'avoir une conversation sur Messager vraiment biz avec Michaël. On dirait qu'il n'était pas dans son état normal. Il me posait des questions ridicules : « Pourquoi tu m'aimes ? », « Est-ce qu'on s'est déjà embrassés ? » ou « Tu te rappelles la première fois qu'on s'est vus ? C'était où ? » Et, à un moment donné, il a disparu.

J'ai demandé à Kim et elle le voyait aussi hors ligne.

J'ai de plus en plus de difficultés à le suivre.

(...)

Stive n'est pas revenu en ligne. Peut-être qu'il est coincé dans les toilettes ?

J'ai encore besoin d'un peu de temps pour me remettre de mes émotions fortes avec lui. Après, je vais continuer à le travailler pour lui faire dire la vérité.

Quand une Réglisse rouge tente de charmer une Réglisse noire. Ouf.

(...)

J'ai passé l'heure du dîner avec Mathieu. C'était plus qu'agréable. Il m'a fait rire avec ses blagues. Chaque fois qu'il me touchait, je sentais qu'une décharge électrique sucrée (ça se peut, je viens de l'inventer) passait de lui à moi.

On était assis devant une table dans la cafétéria pour faire la promotion des Dé-Gars, l'équipe d'impro de l'école. Les premières dix minutes ont été super achalandées. Deux personnes sont venues nous voir : un gros avec les cheveux longs sur les yeux pour savoir si on avait de la monnaie pour les machines distributrices et un plombier avec deux cure-dents entre les lèvres qui cherchait la toilette à déboucher.

Ça sentait le succès !

En fait, personne n'osait nous approcher à plus de trois mètres, comme si on avait la peste.

Sauf que Michaël est passé devant nous genre quatre fois, alors qu'il n'avait rien à faire à la cafétéria. Et chaque fois, il faisait semblant d'être surpris de me voir là.

- Qu'est-ce qu'il te veut ? m'a demandé Mathieu.

- Il croit qu'il se passe quelque chose entre toi et moi.

- Vraiment ? On dirait que c'est ton chaperon.

- Ouais, je sais. Une longue histoire.

- Et qu'est-ce qui pourrait bien se passer de si scandaleux ? On est dans la caf.

- Je ne sais pas. Parce que si on était ailleurs, il pourrait se passer quelque chose de scandaleux ?

Sans sourire, il a répondu :

- Ouais. Je pourrais te montrer les bas en dentelle que je porte présentement.

Je me suis esclaffée.

Après quinze minutes, personne n'était venu nous poser de questions au sujet des Dé-Gars. Je n'avais toujours pas distribué un seul tract (en fait, le plombier en a pris un, aucune idée pourquoi).

- Ça ne peut pas durer comme ça, j'ai dit.

- Ouais, je sais.

- T'aurais une idée pour attirer l'attention ?

- On pourrait imiter des singes. Je suis bon là-dedans.

- Imiter des singes ! On doit attirer les gens, pas faire en sorte qu'ils appellent la police pour nous interner.

- Attends. Je viens d'avoir une méga idée *full* géniale.

Mathieu s'est levé et il a retiré la ceinture de son jeans. J'ai eu un peu peur.

- Euh, je peux savoir ce que tu fais ?

Il a passé la ceinture autour de son cou et m'a tendu l'extrémité.

-OK. On va arrêter de poireauter ici, on va se promener dans les corridors. Je vais faire comme si j'étais ton animal de compagnie.

- Tu niaises ?

- *Nope*. Et je suis un singe.

Et là, il s'est accroupi et il a commencé à se gratter et à grogner et à gémir et à faire des sauts sur place.

Tous les regards se sont tournés vers nous.

Pendant sept secondes, je n'ai jamais eu aussi honte de toute ma vie. Puis j'ai décidé de jouer le jeu. Mathieu était complètement dedans, je n'avais pas trop le choix.

On s'est promenés dans l'école. On a arpenté tous les corridors. Et ce, pendant que je le tenais en laisse. J'invitais les passants à lui caresser la tête et quand il devenait trop agressif (genre, quand il mordait les sacs d'école ou grognait sans raison) ou que son comportement était socialement inacceptable (chercher des poux dans les cheveux ou renifler les pieds de Monsieur M. en y prenant plaisir), je le ramenais à l'ordre en tirant sur la ceinture.

Bizarre et inapproprié ? Absolument. Mais super efficace. En moins de vingt-cinq minutes, on a distribué tous les tracts. Et une dizaine de personnes se sont montrées intéressées, disant qu'elles s'inscriraient aux auditions. 😊

Mathieu et moi, on a ri comme ce n'est pas possible. J'en pleurais. Et Marguerite n'en revenait pas de notre « audace ».

Et là, je pleure parce que je n'ai même pas encore commencé à étudier pour mon test de maths demain.

C'est tellement la première fois de ma vie que je suis à la dernière minute.

(Je m'ennuie de toi, Mathieu !)

Comment j'aurais
pu deviner ?
Namxox

Publié le 5 octobre à 12 h 02 par Nam
Humeur : Secouée

> C'était un piège !

Je devrais être en train de dîner, mais je n'ai pas faim.

Hier, quand j'ai supposément parlé avec Michaël sur Messager et que je le trouvais bizarre, j'ai plutôt discuté avec sa blonde ! Et là, Michaël est en ta contre moi.

Comment je pouvais savoir ?

Ce matin, il m'attendait à l'arrêt d'autobus. Au lieu de me sourire comme d'habitude et de me demander si j'avais bien dormi, il a commencé à m'engueuler. Devant Kim !

Il m'a reproché d'avoir parlé à sa blonde.

- Comment je pouvais savoir que ce n'était pas toi ?! C'était ton compte !

- T'aurais dû t'en apercevoir !

- Comment ?

- Je ne sais pas, mais tu aurais dû. Et là, à cause de toi, je me suis fait engueuler.

Voyant que j'étais sonnée, Kim est intervenue.

- Relaxe, bonhomme. C'était à toi de ne pas lui laisser ton compte.

- Je ne le lui ai pas laissé. Elle y est allée sans que je le sache.

- Elle connaissait ton mot de passe ? j'ai demandé.

- J'imagine.

J'ai repris du poil de la bête.

- Et tu te laisses engueuler ? C'est plutôt toi qui devrais lui passer un savon ! C'est tellement indiscret de sa part !

Il a évité de répondre.

- Et elle a lu le message que tu m'as envoyé. Elle me demande de choisir, maintenant. T'es contente ?

- Je serais contente de quoi ? Tu t'es mis dans cette position. Je ne t'ai jamais forcé à m'aimer.

- Je ne sais pas si je t'aime. C'est ça le problème.

Ouille. Ça a fait mal.

L'autobus venait de tourner le coin de la rue. Il allait s'arrêter à notre arrêt dans quelques secondes. Je n'allais pas lui laisser avoir le dernier mot.

- Eh bien moi, je t'aime de moins en moins.

- Va falloir que tu lui parles, il m'a dit. Lui jurer qu'il ne s'est rien passé entre toi et moi.

Est-ce que je venais d'avoir une hallucination auditive ?

- Quoi !

Nous sommes montés dans l'autobus. Gaston le chauffeur ne nous a même pas regardés. Michaël a poursuivi :

- Il faut que tu lui dises qu'il n'y a rien entre toi et moi. Elle pense que je l'ai trompée.

- Tu viens de dire qu'il n'y a rien eu ?

Il a fait oui de la tête. J'ai haussé le ton. Je me foutais que les autres élèves me regardent.

- Et l'amour que j'avais pour toi ? Ce n'est « rien », ça ? Et le temps qu'on a passé ensemble ?

- Baisse le ton, il a dit. Tout le monde nous regarde.

C'est exactement ce qu'il fallait qu'il me dise pour que je le hausse.

- Tu penses quoi ? Que parce que je porte des broches, je suis un robot ? Que je n'ai pas de sentiments ? Que ça ne me fait pas mal de me faire dire qu'il n'y a rien eu entre toi et moi ? As-tu un caillou à la place du cœur ? Un bloc de glace ?

J'avais les larmes aux yeux. Kim a posé sa main sur mon épaule.

- Je ne sais pas, a marmonné Michaël, et il est allé s'asseoir au fond.

Gaston le-chauffeur-au-sourire-aussi-rare-qu'une-éclipse-de-lune m'a tendu une boîte de papiers mouchoirs. Wow ! J'en ai pris deux parce que je sentais que les larmes allaient bientôt faire leur apparition.

Je ne me suis pas trompée.

Michaël et moi, on ne s'est pas reparlé depuis.

Publié le 5 octobre à 17 h 26 par Nam
Humeur : Ébranlée

> Rencontre au sommet

En sortant de l'école, surprise, on m'attendait : Mylène, la blonde de Michaël. C'était tellement la dernière personne que je voulais rencontrer !

Il y a quand même eu des bonnes nouvelles dans la journée. Le projet de Kim, « Je m'aime », a été accepté ! On a même un budget pour faire de la publicité. Et un local. On est allées le voir. Pas super grand, mais Monsieur M. nous a dit qu'il allait nous trouver des meubles et nous permettre de le repeindre. Kim était hyper contente. Gais, lesbiennes et hétérosexuels vont être les bienvenus. Ce sera un lieu où on pourra échanger sur nos amours. Parce que c'est la chose la plus compliquée du monde. Je suis bien placée pour le savoir.

J'ai croisé une fois Michaël par hasard aujourd'hui et il a changé de direction. Mathieu était avec moi. Je n'ai pas voulu lui raconter pourquoi ça n'allait pas. Il m'a dit qu'il comprenait. Et il m'a prise dans ses bras.

C'est fini avec Michaël. Je crois. Je vais m'ennuyer de lui, c'est sûr. Et ça me fait mal de penser qu'on ne se reverra plus. Mais j'imagine que c'est mieux ainsi. Surtout après la discussion que j'ai eue... avec sa blonde.

Schnoute... Quand une grande fille aux cheveux blonds m'a abordée à l'arrêt d'autobus, je n'ai pas pensé une seconde que ça pouvait être elle. C'est vraiment une belle fille, une tête de plus que moi avec des yeux bleus comme l'océan.

- Namasté ?

J'ai retiré les écouteurs de mon lecteur MP3 de mes oreilles.

- Oui, c'est moi.

- Je suis Mylène.

- Mylène ?

- La blonde de Michaël.

Mon cœur s'est arrêté de battre. Pendant une minute (OK, peut-être un peu moins). Je me suis dit : ça y est, je vais me faire *péter la gueule* en mille morceaux.

- Oh, euh, salut, j'ai fait. Paraît qu'on a *tchatté* hier soir ?

- Ouais. Je peux te parler un instant ?

- Mon autobus s'en vient...

- Un petit instant. Ça ne sera pas long.

Le temps de me flanquer un coup de poing sur le menton et que je me frappe la tête sur le béton et que je tombe dans un profond coma et que je subisse une hémorragie interne et que je meure sur la table d'opération !

J'aurais tellement aimé que Kim soit avec moi.

Nous avons fait quelques pas, à l'abri des oreilles et des regards indiscrets.

- Écoute, j'ai commencé, je ne veux pas me battre avec toi...

Elle a ri.

- Ah ! Ah ! Me battre ? Moi non plus.

Elle faisait l'hypocrite ou elle était sincère ? Elle a continué.

- Qu'est-ce qui se passe entre lui et toi ? Je veux juste savoir la vérité. Il m'a tellement parlé souvent de toi que ça m'agace.

Son ton était cordial. Si elle s'apprêtait à bondir sur moi et à griffer mon visage, elle cachait bien son jeu.

J'ai décidé d'être honnête avec elle.

- Il ne s'est rien passé de physique. Genre, on ne s'est pas embrassés. Mais je l'aime. Ou plutôt, je l'ai aimé. Je suis perdue.

Elle a souri. J'ai remarqué qu'elle portait des broches.

- Moi aussi, je suis perdue. Il est difficile à suivre.

Je comprenais tellement ce qu'elle voulait dire.

- Je n'ai rien contre toi, j'ai dit. On s'entendait bien, c'est tout. Et avant il y a quelques jours, je te jure qu'il ne m'avait jamais dit qu'il avait une blonde. Sinon, j'aurais été plus prudente. Voler les *chums* des autres, ce n'est pas du tout mon genre.

- Ce n'est pas vraiment contre toi que j'en ai, Namasté. C'est contre lui. Il m'a menti. Il n'arrêtait pas de parler de toi. Nam ici, Nam là. Je lui ai dit d'arrêter parce que ça m'énervait. Puis le lendemain, il m'a affirmé qu'il avait coupé tous les ponts avec toi. Mais j'ai appris que c'était faux quand j'ai lu le courriel que tu lui as envoyé.

- Il te l'a fait lire ?

Elle a bredouillé :

- Non, non. Je suis tombée dessus par hasard.

Je sais que ce n'est pas vrai parce que Michaël m'a dit qu'elle avait accédé à sa boîte de courriels sans sa permission. C'est pas *cool* comme comportement, mais je ne lui ai rien dit parce que ça ne me regarde tellement pas. C'est à Michaël de régler ça.

J'ai vu que mon autobus s'en venait.

- Je dois te laisser, j'ai dit. Si tu veux me joindre, tu connais mon adresse courriel, n'est-ce pas ?

C'était une blague. Mauvaise, c'est évident.

- Tu sais ce qui me désole vraiment ? elle a ajouté avant que je me retourne.

- Non.

Elle m'a regardée de la tête aux pieds. Puis :

- C'est qu'il soit attiré par un genre de fille comme toi.

J'ai figé. Qu'est-ce que ça voulait dire ?!

J'ai couru pour attraper mon autobus. Et pendant tout le trajet, sa dernière phrase est restée collée aux parois de mon esprit. « Un genre de fille comme toi », ce n'était clairement pas une gentillesse. Tellement Réglisse noire.

Je croyais que parce qu'on vivait un peu la même chose avec Michaël, il y aurait pu y avoir une forme de solidarité. Genre, on n'est pas amies, mais on se supporte parce que, et pour elle et pour moi, ce n'est pas facile.

Je m'en veux de ne pas lui avoir répondu quelque chose. Comme « le genre de fille comme moi vaut toujours mieux que le genre de fille comme toi ». Ou un truc plus chien : « Je le comprends d'aller voir ailleurs. » Ou pour la déstabiliser : « Il m'a dit que tu puais des oreilles. Je dois reconnaître que c'est vrai. »

Je m'en veux de ne pas avoir été assez rapide.

Juste quelques trucs à ajuster dans le passé
Namxox

Publié le 5 octobre à 20 h 37 par Nam
Humeur : Piquée au vif

> J'aurais dû !

Je me suis remise de mes émotions de cet après-midi. Et loin d'être zen, je suis fâchée contre moi, mais surtout contre la blonde de Michaël. J'imagine qu'elle voulait juste me rencontrer pour voir de quoi j'ai l'air et m'insulter. C'est un comportement de Réglisse noire au cube.

Pour ajouter à son hypocrisie, elle a paru super gentille, au début. Assez pour que je me laisse envoûter par elle. J'aurais dû rester sur la défensive et m'attendre à une attaque à n'importe quel moment. Comme ça, j'aurais pu répliquer. Et ne pas donner l'impression d'être une tarte.

Elle doit tellement penser que je suis une abrutie naïve qui n'a pas de répartie. Et ça me rend folle. Ça me fait penser aux matchs d'impro. Je trouve de meilleures répliques, mais deux heures après le match.

J'en ai parlé à Kim et elle a dit d'oublier ça, que ce n'est qu'une chipie. Facile à dire... Grrr ! Est-ce que ça existe une machine à remonter dans le temps ? Je ne veux pas en acheter une, je veux uniquement l'utiliser une fois. Je pourrais aller me voir avant ma rencontre avec Mylène. Ce matin, genre. Et m'avertir de préparer quelque chose d'intelligent et de solide à répliquer. Le genre de réponse qui ferait changer la couleur de ses yeux tellement elle serait puissante.

Tant qu'à avoir une machine à remonter dans le temps

sous la main, je pourrais aussi en profiter pour aller me voir la fin de semaine dernière et me dire d'étudier davantage pour le test de maths. Test dans lequel je me suis plantée royalement.

Il y a aussi un matin quand j'étais en sixième année où j'ai décidé de me maquiller. J'avais l'air d'un clown qui venait de passer dans un lave-auto. Il a fallu que ma prof me renvoie à la maison sous prétexte que j'allais angoisser mes camarades de classe.

Dans le fond, je ferais mieux d'acheter la machine. Je pourrais l'utiliser à plusieurs occasions.

(...)

Bon, je viens de faire une recherche sur le Net. Un homme prétend offrir, pour un million de dollars, un voyage dans le temps (il dit que c'est une aubaine parce que ça coûte à peu près trente fois moins cher qu'un voyage dans l'espace). Problème : ce n'est pas un aller-retour, un aller seulement. Il ne garantit pas de ramener le voyageur « en un seul morceau ».

Le même type affirme un peu plus loin qu'il est né sur une planète où tous les habitants, hommes et femmes, portent des souliers à talons hauts.

Hum... Ça ne fait pas très sérieux, tout cela.

Que le grand cric me croque ! Mon ami Stive est en ligne !

(...)

Schnoute. On dirait que ma relation que je voulais chaude avec Stive, le scrutateur de secondaire 1 que je soupçonne d'avoir été acheté par Jimmy, semble se diriger tout droit vers un cul-de-sac.

Je n'arrive pas à connecter avec lui. Je n'arrive pas à lui faire dire ce que je voudrais qu'il dise. Genre : oui, Jimmy m'a payé pour que je le fasse gagner. Chaque fois qu'il écrit quelque chose, c'est toujours « LOL ». Et il me demande aux deux minutes d'activer ma caméra web parce qu'il veut me voir toute nue. Ark ! Obsédé !

Et je ne ferais tellement jamais ça. Les conséquences peuvent être super graves !

Finalement, j'ai cessé de discuter avec Stive et j'ai annulé mon compte. Ma tactique ne fonctionne pas. Je dois trouver autre chose. Mais quoi ?? Je ne peux pas en parler à Kim parce qu'elle pense que je devrais laisser tomber.

À mon frère ? Bof. Tintin ? Ouais, peut-être. Il pourrait me conseiller.

Je vais aller terminer mes devoirs.

Publié le 6 octobre à 11 h 03 par Nam
Humeur : Bouleversée

> **Des cheveux blancs sur ma tête**

Oh. *My. God.* J'ai parlé à Mathieu ce matin et il m'a appris que Natacha, la fille qui l'a échappé belle au *party*, a été droguée !!! Son père capotait parce qu'elle ne réagissait pas du tout. Il l'a amenée aux urgences où on lui a fait des prises de sang puis analysé son urine. Ils ont trouvé du GHB dedans ! La drogue du viol ! Trop intense ! Elle n'est toujours pas retournée à l'école, mais Mathieu m'a dit qu'elle allait mieux. Elle ne se rappelle de rien. Genre, elle s'est réveillée le lendemain et elle était à l'hôpital et se demandait vraiment ce qu'elle faisait là.

Le père de Natacha a porté plainte à la police. Et le gars qu'on a surpris, eh bien, il aurait été dénoncé par quelqu'un. Il n'est pas à l'école depuis deux jours. Et Mathieu pense qu'il ne reviendra pas de l'année.

Wow. Si la blonde de Michaël est une Réglisse noire au cube, ce gars-là est une Réglisse noire puissance mille !

Je suis en cours de français. J'ai déjà terminé ma rédaction, c'est pour ça que je peux passer un peu de temps sur l'ordi. C'est l'heure du dîner, j'ai faim !

Un Jimmy portatif
pour tous !
Namxox

Publié le 6 octobre à 17 h 21 par Nam
Humeur : En furie !

> Il est de retour

Je suis sur le derrière. Jimmy est venu parler à Kim cet après-midi. Pour lui dire quoi ? Qu'il n'était pas sûr que son projet de groupe d'entraide soit une bonne idée ! Et qu'elle aurait dû lui en parler avant d'aller voir le directeur. Et qu'en tant que président du comité étudiant, c'est lui qui aurait dû entreprendre les démarches pour concrétiser le projet.

Mais de quoi il se mêle !

J'étais aux côtés de Kim quand il lui a parlé.

- En tant qu'étudiante, j'ai le droit de proposer les projets que je veux, elle a dit.

- Pas vraiment, a rétorqué Jimmy avec ses verres de contact aux yeux de reptile et sa cravate en soie. J'ai été élu démocratiquement pour être l'intermédiaire entre les élèves et la direction.

« Élu démocratiquement » ! J'ai failli exploser. Mais pour ne pas envenimer la situation, j'ai fait un nœud dans ma langue.

Kim :

- C'est absurde. La prochaine fois que je vais être malade, je vais demander à mes parents de t'appeler. Comme ça, tu pourras faire ton travail et avertir la direction.

Jimmy, qui a passé trop de temps sous une lampe solaire au point d'avoir le nez qui pèle, est resté dans son rôle de monsieur le Président.

- Il va falloir que tu t'y fasses, Kim. Tu as perdu les élections. C'est un fait. Tu dois l'accepter. Même si ça fait mal.

Kim est restée calme. Pas moi : je bouillais à l'intérieur.

- Je sais que tu as gagné, elle a dit. Mais ça ne te donne pas le droit de me faire subir ton *power trip*.

- De toute façon, je compte parler au directeur de ton projet. Je ne suis pas sûr que ce soit une bonne idée. On doit analyser les deux points de vue. Et j'ai une demande officielle d'un groupe de joueurs de jeux vidéo qui a besoin d'un local. Au moins, il y a des gens qui vont le fréquenter. Tandis que si c'est ton projet qui est retenu, ce local va rester vide. Qui a besoin d'un lieu pour parler de ses émotions ? C'est ridicule. Si tu veux parler de ton lesbianisme ou des autres bébittes dans ta tête, tu n'as qu'à aller voir un psy.

Arghh ! Est-ce qu'il a insinué que le lesbianisme est une maladie ? C'est lui qui a des bébittes dans la tête ! J'aurais voulu lui arracher ses verres de contact pour en faire des *frisbees* ! Je le déteste tellement !

La première cloche a sonné. Il ne restait que deux minutes avant le début des cours. Jimmy s'est tourné vers moi avant de partir.

- Tu diras à ton frère qu'il a gagné une bataille, mais pas la guerre.

Et il est parti.

Qu'est-ce que ça signifie ? C'est une menace ? Genre que quelqu'un va battre Fred pour se venger de sa victoire contre l'orc ?

Au secours ! Je suis entourée de Réglisses noires !

Kim est allée tout de suite au bureau du directeur pour discuter de ce qui venait de se passer. Il n'était pas là, elle a laissé un message.

Je ne peux juste pas imaginer que le groupe d'entraide va tomber à l'eau à cause du chef des têtards gluants !

Si ça continue comme ça, il aura tellement une grosse tête qu'il va vouloir qu'on lui érige une statue en face de l'école. Pour que chaque fois qu'on passe devant, on se mette à genoux. Et on offrira à chaque élève une sorte de nain de jardin qui a ses traits que chacun devra placer dans sa chambre pour se souvenir de l'importance de monsieur le Président. Et dans chaque nain de jardin, il y aura une caméra destinée à filmer chaque élève afin de s'assurer qu'aucun ne remette en question sa toute-puissance.

Si je pouvais trouver un moyen de prouver que Jimmy a triché ! Il fermerait tellement sa gueule de gosse de riche.

Je dois me calmer. Je dois penser à autre chose.

(...)

Bonne nouvelle. Il y aura des auditions pour l'impro ! Les Dé-Gars sont donc sauvés ! À moins que les auditions ne permettent de découvrir que les candidats sont incapables de faire autre chose que d'imiter un chimpanzé.

Marguerite est super contente. Je le serais s'il n'y avait pas eu cette histoire avec Jimmy.

(...)

J'ai espionné Stive aujourd'hui. J'avais l'impression d'être dans un zoo, en train d'observer les comportements d'un animal.

Je comprends pourquoi je préfère les gars plus vieux que moi !

Pendant les dix minutes que j'ai passées assise à la table à côté de celle où il était avec ses amis, il a, dans l'ordre chronologique :

- Essayé de roter son nom et son numéro de téléphone en se trouvant super drôle, comme ses amis, bien entendu ;
- Gonflé le contenant de son jus et l'a fait exploser en faisant tomber son pied dessus, ce qui a fait crier quelques filles dans la caf ; il s'est trouvé super drôle, ses amis aussi, bien entendu ;
- Sacré à tous les deux mots ;
- Mis son doigt dans son nez avant de faire glisser ce même doigt sur la joue d'un de ses amis, il s'est trouvé super drôle, ses amis aussi, bien entendu.

Puis un de ses amis est allé aux toilettes et il a rapporté du papier hygiénique mouillé. Et il a commencé à le lancer. Et les autres se sont précipités aux toilettes pour se procurer des munitions. Les boules de papier hygiénique mouillé étaient de plus en plus grosses.

Le surveillant leur a dit d'arrêter, ce qu'ils ont fait jusqu'à ce qu'il ait le dos tourné.

Pour terminer, un des gars a montré ses fesses sans aucune raison ; tout le monde l'a trouvé super drôle, Stive aussi, bien entendu.

Bref, j'ai été témoin d'une expérience super constructive pendant laquelle j'ai beaucoup appris sur la nature humaine.

Je suis encore plus découragée.

Ça fait un million de fois que Mom m'appelle pour souper.

Attention
fragile
Namxox

Publié le 6 octobre à 21 h 23 par Nam
Humeur : Charmée

> Il est de retour, deuxième partie

J'ai parlé avec Mathieu pendant une heure au téléphone. Il est tellement *cool,* ce gars. Il ne lui restait que soixante et une minutes sur son cellulaire et il m'a dit que ça ne le dérangeait pas de les écouler avec moi. Ahhh... Je l'aime. J'aime l'entendre. Sa voix est douce et chaude. Je l'enregistrerais et je la ferais repasser en boucle sur mon lecteur MP3. Pendant que je m'endors. D'ailleurs, depuis deux ou trois soirs, c'est à lui que je pense dans mon lit. Genre qu'on s'endort collés-collés. Ou d'autres trucs qui ne s'écrivent pas vraiment. Hi, hi, hi...

Je lui ai parlé de moi, de ce que j'avais vécu à mon autre école, la mort de Zac, entre autres. Il m'a vraiment écoutée. Ça fait du bien. Des fois, on parle avec quelqu'un et on sent que la seule chose qu'il désire est qu'on s'arrête pour qu'il puisse parler de lui. Pas avec Mathieu. Il est patient et comme dirait Marguerite, il a « une belle capacité d'écoute ».

Je ne me suis pas fait prendre cette fois : je lui ai demandé s'il avait une blonde. Il a ricané :

- Non. Mettons que quelqu'un occupe mon cœur, mais elle n'est pas encore ma blonde.

Quelqu'un ? Qui ? Est-ce que ce serait moi, par hasard ? Je n'ai pas osé poser la question. J'ai eu peur de la réponse.

Il s'est aussi ouvert un peu, même si j'ai senti qu'il était réticent à parler de lui. Il a eu un père violent. Genre, lorsqu'il était petit, son paternel lui a fait passer des heures dans une garde-robe parce qu'il avait renversé un verre de lait sur la table. Son père est « malade », comme il dit. Il a déjà menacé sa mère avec un couteau sur la gorge, il a d'ailleurs fait de la prison pour ça.

Aujourd'hui, Mathieu le voit rarement, genre à Noël ou à Pâques. Mais il ne souhaite pas le voir plus souvent parce que ça le démoralise.

- J'aime mon père malgré tout et je m'ennuie de lui tous les jours. C'est con, non ?

Je lui ai dit que ce n'est pas con. Que c'est normal. Parce que je pense que même si nos parents ne sont pas parfaits, on ne peut pas s'empêcher de les aimer.

J'ai un peu hésité avant de lui parler de ce qui s'est passé aujourd'hui avec Jimmy. Le truc du groupe d'entraide.

- Comme je t'ai dit, Nam, Jimmy et moi, on ne se parle plus vraiment. On n'est pas en chicane, on n'a juste plus d'atomes crochus. Si tu ne veux pas m'en parler, je respecte ça.

Je lui ai tout raconté. Ça m'a fait du bien. Il a commenté :

- Je ne sais pas trop quoi te dire. J'ai juste honte qu'il soit de ma famille. Il a toujours eu la tête enflée, mais là, il y a un risque d'explosion.

- Eurk. Je ne voudrais pas être là quand ça va arriver.

On a ri. Un peu plus tard, il m'a dit qu'il ne lui restait plus de temps sur son cellulaire, qu'il lui fallait raccrocher. Il m'a souhaité une bonne nuit et a ajouté qu'il avait hâte de me revoir demain.

Ahhh ! Je suis amoureuse, je crois.

Mais lui, est-ce qu'il l'est ? Ou il veut juste qu'on soit des amis ?

Ça me ferait tellement mal. Mon cœur est un peu en miettes avec ce qui s'est passé avec Michaël. Il est fragile. Je ne veux pas qu'il brise encore. Je pense que je ne pourrais plus le réparer.

J'aimerais que ça fonctionne, cette fois. Que ça dure. Et que cet amour ne meure pas !

(...)

Je viens de recevoir un message par le biais du blogue que j'ai créé pour Kim pendant les élections. Je l'avais complètement oublié.

C'est de mon ami RKRP, le mystérieux personnage qui m'a mis sur les traces du très *sexy* Stive. Le message :

« J'ai trouvé ce qu'il te manquait. Il faut que tu te rendes »

Je ne comprends pas. Il faut que je me rende où ? Et qu'est-ce qu'il a trouvé ? Il a appuyé trop tôt sur le bouton « envoyer » ?

Je lui ai fait parvenir un message : « La suite ! »

Je vais aller rêver de Mathieu. 😊

Publié le 7 octobre à 12 h 12 par Nam
Humeur : Apaisée

> Ce ne sera pas aussi facile

Ah ! Ah ! Kim a parlé à Monsieur M. Il n'est pas question de suspendre le projet de groupe d'entraide. C'est clair, le comité étudiant a seulement un pouvoir consultatif (il peut soumettre des suggestions, mais sans plus). Les décisions sont prises par la direction et elle seule. Monsieur M. se demande quelle mouche a piqué Jimmy, il va lui parler et lui expliquer tout cela.

Ça me soulage, quand même. S'il avait fallu que Jimmy fasse déraper le projet, je lui en aurais encore voulu sur mon lit de mort.

(...)

Je suis allée jeter un œil sur l'ancien blogue de Kim : RKRP ne m'a pas répondu. J'aimerais bien savoir ce dont j'ai besoin et où je dois me rendre ! Il ne peut pas me laisser dans l'attente comme ça ! C'est criminel !

Qui sait ? Peut-être que c'est un agent secret ? Et qu'il va m'apprendre que Stive vient d'une autre planète dans une galaxie très loin de la nôtre ? Ce qui ne m'étonnerait pas vraiment. En fait, ça me soulagerait d'apprendre qu'il n'est pas né sur Terre. Ça me redonnerait espoir en la race humaine.

Aussi, ça me permettrait de

Je ne te suis plus
Namxox

Publié le 7 octobre à 16 h 42 par Nam
Humeur : Ébranlée

> Je suis traumatisée

J'ai terminé abruptement le dernier billet parce qu'il s'est passé quelque chose de... Comment dire ? Quelque chose d'incongru. Ouais, c'est ça : incongru.

Je suis encore sous le choc.

J'étais sur un ordi à la biblio quand j'ai entendu une espèce de rumeur. Comme si tous les élèves avaient décidé de chuchoter entre eux en même temps. Habituellement, Huguette, la bibliothécaire, ne tolère aucun bruit. Dès qu'elle entend un mot, elle fait « Shhh ! » et avec ses yeux de matante cannibale, elle nous observe. On dirait que par la seule force de son regard, elle peut nous faire exploser la vésicule biliaire. Tout le monde en a peur. Même Killer, le concierge géant (néanmoins sympathique). Paraît qu'elle peut faire exploser une mouche en plein vol en se contentant de la regarder.

Pourtant, cette fois, aucune intervention d'Huguette. Je lève la tête, je me demande ce qui se passe.

Et je vois Michaël s'approcher, un sourire fendu jusqu'aux oreilles. Il porte sa guitare sur l'épaule. Tout est au ralenti. Il met un genou par terre, me fait un clin d'œil :

- Une chanson que j'ai composée uniquement pour toi, il me dit. Chose promise, chose due.

Et il commence à chanter.

Tout le monde nous regarde, bien entendu. Je m'attends à ce qu'Huguette, avec ses pouvoirs magiques, pulvérise Michaël. Je me serais même portée volontaire pour faire le ménage après.

Mais non. Pas du tout. Elle a les bras croisés sur la poitrine et elle nous regarde. Avec un sourire niais.

Et Michaël commence à faire rimer « Namasté » avec « volupté », « gaieté » avec « trophée » (hein ?!). Et il parle des papillons, du printemps et d'un arc-en-ciel perpétuel. Et à quel point je suis belle et gentille et formidable. Et à chaque mot qu'il chante, j'ai l'impression de devenir toute petite sur ma chaise. Je pense à faire comme s'il n'était pas là, genre continuer à écrire le billet sur mon blogue, mais je ne veux pas rendre la situation encore plus étrange qu'elle ne l'est déjà.

Sa chanson est IN-TER-MI-NA-BLE. Il me semble qu'il n'arrêtera jamais de chanter et de gratter sa guitare. Je me dis : « S'il continue, on va sortir d'ici en plein milieu de la nuit. »

Je ne sais pas où regarder. Pas ses yeux, je suis trop intimidée. Alors je zieute ses narines.

Enfin, il termine. Tout le monde applaudit, il y a même des sifflements. Huguette, émue, se tamponne les joues avec un *kleenex*.

- Je t'aime, il me dit.

Il approche sa bouche de la mienne, je détourne la tête. Il pose un baiser sur ma joue.

- Est-ce que tu veux être ma blonde ?

Il parle trop fort, comme s'il voulait se faire entendre des quatre mille élèves assis dans la biblio.

Les dents serrées, je dis :

- Faut qu'on parle.

Il a toujours son sourire, mais je sens qu'il ne pourra pas tenir longtemps.

- On parle de quoi ?

- De nous.

Je me débranche du compte de mon blogue. Je lui fais signe de me suivre à l'extérieur de la bibliothèque, là où on va pouvoir discuter sans être scrutés par cinq cent mille paires d'yeux .

Je passe devant lui. Il reste sur place.

- Viens, je lui dis.

Il ne bouge pas. Je prends sa main dans la mienne. Il y a des applaudissements, comme si les spectateurs avaient interprété mon geste comme un geste d'amour. C'est plutôt de l'impatience, mais je ne le leur dis pas pour éviter qu'ils aient la déception de leur vie.

Une fois qu'on est seuls, je lui demande :

- Est-ce que je peux savoir ce qui vient de se passer ?

- Je t'aime, Namasté. J'y ai bien pensé et c'est toi que je veux comme blonde.

- Un instant. L'amour, à ce que je sache, ça se joue à deux, non ? T'aurais pas pu m'en parler avant ?

- Ben non, je ne voulais pas gâcher la surprise.

Ça chauffait dans ma tête. S'il y avait eu un fusible dedans, je l'aurais fait sauter. Et ça aurait été la faute de Michaël.

- Un instant. Je ne te suis plus. Un jour, on passe du super bon temps ensemble, tu me traites comme une princesse. L'autre jour, tu me fuis. Après, tu me colles aux fesses à l'école et si tu le pouvais, tu attendrais devant la porte des toilettes jusqu'à ce que j'aie terminé. Le jour d'après, tu m'annonces que t'as une blonde et tu veux que je lui dise qu'il ne s'est rien passé entre nous deux. Et genre, on ne se parle plus pendant deux jours, tu m'évites dans les corridors comme s'il y avait des risques que je me penche et que je te fasse pipi dessus comme une moufette et puis, le lendemain, tu me fais une grande déclaration d'amour devant toute l'école. Tu me fais *rusher*, Michaël. Je ne te comprends pas.

- Il n'y a rien à comprendre, Namasté. C'est ça, l'amour. Je t'aime.

Il avait encore son sourire gaga.

- Non, Michaël, ce n'est pas ça, l'amour. Pas pour moi. Tu ne peux pas prendre mon cœur, le caresser et la minute d'après, le lancer par terre et le piétiner. Et le reprendre et le cajoler. Et le lancer sur un mur et le piquer avec une baguette à fondue.

- Tout ça c'est terminé, Namasté. Je sais que tu es la femme de ma vie.

- Je gage que ta Mylène n'est pas encore au courant ? Et que demain matin, à l'arrêt d'autobus, tu vas me reprocher de ne pas lui avoir annoncé que vous ne sortez plus ensemble ? Et tu vas me demander de l'appeler ? C'est ça ?

Lentement, il a fait non de la tête.

- J'étais perdu, Namasté. Je ne savais plus.

- Eh bien, j'étais perdue aussi. Mais ce que tu ne sais pas est que j'ai peut-être pris un autre sentier que le tien pour retrouver mon chemin.

- Il n'y en a qu'un seul, Namasté. Celui de notre amour.

Oh, *boy*. C'est tellement quétaine. Mais bon, c'est beau quand même. Comme les t-shirts où il y a un dauphin en paillettes qui sourit en surfant sur une vague. (Je trouve ça mignon, moi, les dauphins.)

Est-ce que quelqu'un peut m'expliquer ce qui s'est passé dans la tête de Michaël ? Est-ce que j'ai manqué un épisode de notre roman-savon ?

- Michaël, je ne sais pas quoi te dire.

- Dis-moi que tu m'aimes, c'est tout.

- Il y a deux semaines, peut-être. Mais là, je ne sais pas.

- J'ai quitté Mylène. Je lui ai dit que tu étais la perle rare. Ma perle rare.

Là, je dois avouer que ça m'a fait plaisir quand il a dit ça. Ça m'a fait « un p'tit velours », comme dit Grand-Papi. J'avais besoin d'autres détails pour ajouter à cette douceur.

- Et comment elle a réagi ?

- Pas très bien. Mais bon, c'est du passé.

On était arrêtés au milieu du corridor. On a laissé passer deux étudiants entre nous. L'un d'eux, une fille, m'a fait un clin d'œil et m'a dit de ne jamais le laisser partir. C'était exactement le genre de conseil dont j'avais besoin. Merci, belle étudiante inconnue !

Michaël a continué :

- Je dois te dire que j'ai reçu un message.

- Un message ? De qui ?

- De Zac.

- *Mon* Zac ! Mon premier amoureux ?

- Oui, lui-même.

Je dois arrêter, faut que j'aille souper. La suite plus tard.

Zac ?!
Namxox

Publié le 7 octobre à 18 h 59 par Nam
Humeur : Toujours ébranlée

> Un mauvais rêve ou un beau ?

Donc.

Michaël me dit qu'il a reçu un message de Zac. À ce moment-là, s'il m'apprend qu'il a reçu un courriel ou un télégramme chanté par un clown, je me promets de marcher sur les mains durant le reste de ma vie.

- OK, là, ça commence à être trop étrange, Michaël. Attention à ce que tu vas dire, j'ai encore mal quand je pense à lui.

- Non, ce n'est pas bizarre. C'était dans un rêve.

- T'as rêvé à Zac ?

- Ouais. Il portait le fameux t-shirt. Et il m'a dit que si je passais à côté de toi, si tu ne devenais pas ma blonde, j'allais le regretter pendant le reste de ma vie.

- Si tu savais à quel point Zac ne devrait pas être mêlé à notre histoire !

J'avais quand même des doutes sur ce qu'il me racontait. Ça sentait un peu la manipulation. Je voulais savoir si c'était vraiment Zac, mon Zac d'amour, qui lui avait parlé.

- Il ressemblait à quoi ?

- Le t-shirt ? Celui avec des poissons.

- Non, pas le t-shirt. Zac, dans ton rêve. Il ressemblait à quoi ?

- Eh bien, il avait les cheveux blonds. Longs. Avec un toupet qui lui arrivait au-dessus des yeux.

- Euh, Zac n'a jamais eu cette coupe de cheveux.

Comme s'il craignait de m'avoir fait de la peine, il a ajouté :

- C'était lui, je suis sûr. Il m'a dit qui il était.

- Et je peux savoir quel était le décor du rêve ?

- Ouais, j'étais sur une plage. Je jouais au ballon avec un château de sable vivant. Et à un moment donné, Zac est apparu avec une grosse queue de poisson. Et des coquillages pour cacher ses seins.

- OK. Dans ton rêve, Zac avait des cheveux blonds avec un toupet et c'était une sirène avec des coquillages sur sa poitrine. Avec un t-shirt.

- Ouais.

- Je peux te confirmer que ce n'était pas Zac. C'est quelqu'un qui s'est fait passer pour lui. Un imposteur, genre.

- De toute façon, ce n'est pas important. L'important est que je t'aime et que tu m'aimes.

- Vraiment ? Comment sais-tu que je t'aime ?

- Je le sens. Je le vois dans tes yeux.

À ce moment, Michaël a remis sa guitare devant lui. Il a recommencé à jouer et alors qu'il entonnait sa chanson, je l'ai interrompu.

- OK, ça va. Faut que tu me laisses du temps, d'ac ?

- Du temps pour quoi ?

- Du temps pour me remettre psychologiquement de ton chef-d'œuvre. Mais aussi pour penser. À nous.

Il a fait oui de la tête. Pendant que je m'éloignais, il s'est remis à chanter et à jouer, attirant évidemment tous les regards. J'ai enfin pu le semer quand j'ai commencé à courir comme une malade.

Présentement, il est 19 h 35 et il m'a envoyé depuis la fin des classes sept courriels et m'a appelée trois fois.

Il est présentement 19 h 36 et je suis toute mélangée. Et je ne sais plus quoi faire.

Publié le 8 octobre à 7 h 02 par Nam
Humeur : Médusée

> Lui ou lui ?

Je me suis étendue sur mon lit et j'ai fini par m'endormir. Faut croire que la journée d'hier a été exigeante et m'a sapé toute mon énergie. J'ai quasiment fait le tour de l'horloge.

Je suis perdue. J'aurais besoin d'une boussole pour retrouver mon chemin. Le bon chemin, en fait.

Avant la déclaration de Michaël, c'était Mathieu que j'étais sûre d'aimer. Après, je ne sais pas. Je ne sais plus.

Si je sors avec Michaël, je vais peiner Mathieu, c'est clair. Et il va s'éloigner de moi.

Si je dis à Michaël que je l'ai déjà beaucoup aimé mais que ce n'est plus le cas et que je concentre mon attention sur Mathieu sans savoir si je suis la personne qui occupe son cœur, c'est un gros risque.

Et en plus, si je dis non à Michaël, je vais passer pour la fille qui a autant de cœur qu'une télécommande. Comment je peux lui refuser quoi que ce soit après la déclaration d'amour spectaculaire qu'il vient de me faire ?

Zac, t'es là ? Tu ne pourrais pas m'aider, un peu ? D'où tu es, tu sais sûrement quel est le meilleur choix pour moi, non ?

P.-S. : Si tu m'apparais en rêve, aie pitié de moi et ne te déguise pas en sirène. Les cheveux longs blonds, ça passe, mais pas le toupet. Et évite les coquillages sur les seins.

(...)

RKRP vient de m'écrire. Voici le reste du message :

« J'ai trouvé ce qui te manquait. Il faut que tu te rendes dans le parc à côté de l'école. En utilisant l'entrée donnant sur le boulevard, tu vas voir une poubelle. Sous la poubelle, il y a une roche. Et sous la roche, quelque chose que tu vas trouver très intéressant. Attention, c'est fragile. »

C'est quoi, une chasse aux trésors ? Il n'aurait pas pu me faire une livraison à domicile ?

Je suis peut-être parano, mais qui sait, c'est peut-être Jimmy qui me niaise ? Il va peut-être me filmer en train de chercher sous la poubelle et mettre le truc sur YouTube pour m'humilier ?

C'est peut-être un fou qui veut me faire peur. Genre, je trouve sous la poubelle une tête d'écureuil. Ou encore plus dangereux, une poterie amérindienne hantée !

On est samedi, il pleut, les autobus passent aux heures. Grand-Papi est chez sa blonde. Et je n'ai pas le goût de sortir.

Mais...

Mais je suis hyper curieuse.

Si j'utilise ma bicyclette, je vais savoir ce qu'il y a sous la poubelle dans vingt minutes.

Allez, un coup de pied dans le derrière. J'y vais.

Publié le 8 octobre à 9 h 53 par Nam
Humeur : Remuée

> Je n'en crois pas mes yeux

Je reviens du parc. RKRP a effectivement laissé quelque chose pour moi, sous la poubelle, sous une pierre.

Parce qu'il pleuvait, je n'ai pas osé l'ouvrir sur place. L'objet était dans un sac en plastique. En le palpant, je sentais l'emballage à bulles qui le recouvrait, comme pour l'empêcher de se briser.

Je viens tout juste d'ouvrir le paquet.

Et je n'arrive juste pas à croire à ce que j'ai sous les yeux.

C'est, comment dire ?

STUPÉFIANT.

Lisez la suite dans

Le blogue de Namasté

tome 6 : Que le grand

cric me croque !

Du même auteur

Le blogue de Namasté - tome 4
Le secret de Kim
Éditions La Semaine, 2009

Le blogue de Namasté - tome 3
Le mystère du t-shirt
Réédition La Semaine, 2010

Le blogue de Namasté - tome 2
Comme deux poissons dans l'eau
Éditions Marée Haute, 2008

Le blogue de Namasté - tome 1
La naissance de la Réglisse rouge
Éditions Marée Haute, 2008

Pakkal XI
La colère de Boox
Éditions La Semaine, 2009

Pakkal X
Le mariage de la princesse Laya
Éditions Marée Haute, 2008

Pakkal IX
Il faut sauver L'Arbre cosmique
Éditions Marée Haute, 2008

Pakkal
Le deuxième codex de Pakkal
Éditions Marée Haute, 2008

Pakkal VIII
Le soleil bleu
Les Éditions des Intouchables, 2007

Circus Galacticus
Al3xi4 et la planète de cuivre
Éditions Marée Haute, 2007

Pakkal VII
Le secret de Tuzumab
Les Éditions des Intouchables, 2007

Pakkal VI
Les guerriers célestes
Les Éditions des Intouchables, 2006

Pakkal V
La revanche de Xibalbà
Les Éditions des Intouchables, 2006

Pakkal IV
Le village des ombres
Les Éditions des Intouchables, 2006

Pakkal
Le codex de Pakkal, hors série
Les Éditions des Intouchables, 2006

Pakkal III
La cité assiégée
Les Éditions des Intouchables, 2005

Pakkal II
À la recherche de l'Arbre cosmique
Les Éditions des Intouchables, 2005

Pakkal I
Les larmes de Zipacnà
Les Éditions des Intouchables, 2005

Maxime Roussy est porte-parole de **PHOBIES-ZÉRO volet jeunesse**. Il s'est donné comme mission, entre autres, de démystifier les troubles d'anxiété chez les jeunes en leur racontant avec humour ses expériences liées à son trouble panique avec agoraphobie.

Tu n'es pas seul. Plusieurs personnes se sentent comme toi. La bonne nouvelle, c'est que nous pouvons t'aider!

Pour savoir par où commencer, visite le

www.phobies-zero.qc.ca/voletjeunesse

ou communique avec nous au :

(514) 276-3105 / 1 866 922-0002